DIE KÖNIGLICHE KUNST IM BILD
THE ROYAL ART ILLUSTRATED
L'ART ROYAL ILLUSTRÉ

ERICH J. LINDNER

THE ROYAL ART ILLUSTRATED

Contributions to the Iconography of Freemasonry

Translation by Arthur Lindsay

L'ART ROYAL ILLUSTRÉ

Contributions à l'iconographie de la Franc-Maçonnerie

Traduction par Odette et Charles Haudot

AKADEMISCHE DRUCK - u. VERLAGSANSTALT

GRAZ / AUSTRIA

1976

ERICH J. LINDNER

DIE KÖNIGLICHE KUNST IM BILD

Beiträge zur Ikonographie der Freimaurerei

Mit 138 Bildern

AKADEMISCHE DRUCK- u. VERLAGSANSTALT

GRAZ / AUSTRIA

1976

© Akademische Druck- u. Verlagsanstalt, Graz 1976
Gesamtherstellung in der eigenen Anstalt

Printed in Austria
ISBN 3-201-00952-0
250/74

VORWORT

Im Brauchtum der Freimaurerei nehmen Symbole und Rituale einen wesentlichen Raum ein. Durch sie vor allem kommunizieren die Freimaurer miteinander. Dies hat zur Folge, daß sich den Freimaurern eine neue Erlebniswelt eröffnet, die Außenstehenden letztlich nur mittelbar zugänglich ist. Denn wirkliches Verstehen dieses inneren Erlebens ist nur dem Logenbruder vorbehalten.

Dies bewog mich, eine Graphiksammlung „Freimaurerisches Brauchtum in Bildern 1730—1840", erschienen 1969, zu veröffentlichen, die von der Freimaurerischen Forschungsloge Quatuor Coronati Nr. 808, Bayreuth herausgegeben wurde. Das Buch war nach kurzer Zeit vergriffen; eine neue Auflage war aus drucktechnischen Gründen nicht möglich. Ich habe dies zum Anlaß genommen, das gesamte Bildmaterial, welches mir zur Verfügung stand, zu berücksichtigen und unter einer neuen Themenstellung einem interessierten Kreis zugänglich zu machen. So fand meine erste Veröffentlichung, die sich ja bekanntlich nur auf das freimaurerische Brauchtum beschränkte, Aufnahme im ersten erweiterten Teil dieser umfassenden Darstellung der KÖNIGLICHEN KUNST im Bild.

Bei manchem Symposium auf Schloß Aschbach wurde mit dem Meister der Forschungsloge Ludwig Peter Freiherr von Pölnitz und dem Alt- und Ehrenmeister Hans Otto Bock eine Auswahl der Stiche besprochen. Wenn auch eine vollständige Übersicht der freimaurerischen Bilddarstellungen heute nicht mehr möglich erscheint, sollten doch aus allen Gebieten der Freimaurerei die markantesten und aussagekräftigsten Bilder gezeigt werden. Beim Text wurde nach Möglichkeit auf die alten Schriften zurückgegriffen, auch in der Schreib- und Ausdrucksweise.

Aus grundsätzlichen Erwägungen sind nur Bilder bis zur Mitte des 19. Jahrhunderts verwendet worden.

Ohne die unermüdliche Unterstützung aus USA — u. a. von Herbert H. Stafford, New York — London — Paris — Wien —, vor allem aber aus allen Teilen Deutschlands, wäre diese Arbeit nicht möglich gewesen. Außer auf meine eigene Sammlung habe ich auf folgende Bestände zurückgreifen können:

Deutsches Freimaurer Museum Bayreuth, Direktor H. W. Lorenz;
Museen der Stadt Wien, Direktor Dr. May;
Fürstl. Oettingen-Wallersteinsche Bibliothek und Kunstsammlung, Schloß Harburg, Dr. von Volckamer;
Gottlieb Siegfried, Liebefeld-Bern, der mir aus seiner kostbaren Kupferstich-Sammlung u. a. die Bilder 44 und 117 schenkte;
Kupferstich-Sammlung der Freimaurerloge Zur Verbrüderung an der Regnitz, Bamberg.

Allen habe ich herzlich zu danken, besonders auch den Übersetzern in die englische Sprache Arthur Lindsay, Brüssel und in die französische Sprache Odette und Charles Haudot, Straßburg, sowie L. Peter Freiherr von Pölnitz für die sorgfältige und kritische Korrekturlesung. Ich habe absichtlich nur Erläuterungen gebracht, keine Stellungnahmen. Jeder möge selbst Vergleiche und Schlüsse aus dem Brauchtum alter Zeiten ziehen. Dem Außenstehenden aber soll das Buch den Versuch erleichtern, sich selbst ein Bild von der Freimaurerei zu machen. Sie ist gar nicht so geheimnisumwittert, wie die Gegner dies gern hinstellen.

Ich bin mir der Tatsache bewußt, daß meine Versuche, Bilder ohne zusammenhängenden Text sprechen zu lassen, nur unvollständig sein können. Die visuelle Bildersprache wird vielen entgegenkommen, aber auch dem Forscher eine unbestechliche Grundlage geben. Diese Arbeit soll dazu beitragen, unsere eigenen Erkenntnisse zu fördern und aufzuzeigen, wie die Freimaurerei sich in ihren Anfängen verstanden wissen wollte als unsere KÖNIGLICHE KUNST.

1975   Erich J. Lindner

Symbols and Ritual occupy an important place in the usages of Freemasonry. It is principally through these that Freemasons are enabled to communicate with one another. This has the result that a new world of experience opens to the Freemason which is, at best, accessible only indirectly to the outsider. For a true understanding of this inward experience is reserved only for Brother Masons in the Craft.

This prompted me to publish a collection of illustrations under the title 'Freimaurerisches Brauchtum in Bildern 1730–1840' (Masonic Usage Illustrated 1730–1840) which appeared in 1969 under the aegis of the Masonic Research Lodge Quatuor Coronati No. 808, Bayreuth. The work was out of print after a short time; a new printing proved impossible for technical reasons.

I have taken this as an opportunity to consider anew all the illustrated material available to me, and to make this accessible to a wider circle under a new thematic concept. In this way my earlier work, which was limited to Masonic usage, has found a place in the first and more extensive section of this more comprehensive work on the ROYAL ART.

Many are the round-table conferences which have taken place at Schloß Aschbach, with the Worshipful Master of the Research Lodge Ludwig Peter Baron von Pölnitz and P. M. Hans Otto Bock, to discuss the choice of engravings. Even if it seemed no longer possible today to present a complete survey of illustrated Masonic representations, the aim was at least to show the most outstanding and most expressive pictures from all areas of Freemasonry. As far as possible, the text has been taken from old contemporaneous writings, including the peculiarities of their orthography and manner of expression.

Out of considerations of principle, only illustrations which appeared before the middle of the nineteenth century have been used.

This work would not have been possible without the untiring assistance from the USA — particularly from Herbert H. Stafford, New York —, from London, Paris, Vienna, and especially from all parts of Germany. In addition to my own collection, I have been fortunate in having access to material owned by:

German Masonic Museum Bayreuth, Director H. W. Lorenz;
Museums of the City of Vienna, Counsellor-in-chief Dr. May;
Library and Art Collection of the Princes Oettingen-Wallerstein, Schloß Harburg, Dr. von Volckamer;
Mr. Gottlieb Siegfried, Liebefeld-Bern, who presented me with (amongst others) the originals of Plates 44 and 117 from his valuable collection of copperplate engravings;
Collection of copperplate engravings of Lodge 'Zur Verbrüderung an der Regnitz,' Bamberg.

All these I have to thank most sincerely, and particularly also my translators, Arthur Lindsay (Brussels) for the English version, and Odette and Charles Haudot (Strasbourg) for the French, in addition to L. Peter Baron von Pölnitz for his painstaking and critical proofreading.

I have intentionally given only explanatory texts, without making any comments which might be interpreted as taking sides. The reader may make his own comparisons and draw his conclusions for himself from the traditions of the past. The outsider, however, should find the book of help in obtaining for himself some idea of Freemasonry; it is by no means so secretive as its opponents like to represent it.

I am aware that my attempts to let illustrations speak for themselves, without any kind of continuity of text, can only be incomplete. The visual language of pictures will nevertheless encourage many, and will give the researcher an incorruptible foundation.

This work is intended as a contribution to enable us to extend our own discoveries and experience, and to demonstrate how Freemasonry has wished, from its beginnings, to be understood: as our ROYAL ART.

1975   Erich J. Lindner

Foreword to the English Translation

To a translator whose Masonic roots are English and Scottish but whose Masonic experience has included Belgium, France, the Netherlands, Germany, Italy and Switzerland (in addition to Africa and Australia, and some Lodges working American Rituals), differences in Masonic usage between Continental European practice and that of Freemasonry in the Anglo-Saxon world cannot fail to be noticeable. These differences are not only historical but also of temperament, and are reflected in present-day practice; they have influenced and occasionally modified certain attributes, symbols and attitudes to be found in Continental Freemasonry, and language and conceptual content have sometimes taken a different line of development.

Anglo-Saxon Freemasonry has on the whole tended to concentrate on the perfection of ritual practice – perhaps at the loss of logical cohesion and philosophical content – whilst Continental practice has perhaps preoccupied itself to excess with precisely these and occasionally neglected the ritual aspects, in which a certain rigidity coupled with disregard for what to us are important elements of the Rituals may sometimes be noticed. This is hardly the occasion to dilate in depth on these divergences, but it seems appropriate at least to refer to the fact without going into detail as to the causes. These, in a word, have their historical roots in the different religious, social and political climates of these different worlds, within which Freemasonry has flourished to a greater or lesser extent, and been subjected to influences and pressures different from our own, and to which – whilst perhaps standing aside from them – Freemasonry has been obliged to react according to the lights of its Men and the needs of the time. There can be little doubt that the intrinsically feudal social context of Freemasonry on the European continent has left its lasting imprint upon the Craft in some of these countries, and that occasional persecution by Church and State has sometimes made Freemasonry rather less democratic, more elitist, more secretive and occasionally even politically active – if only in militant self-defence – than, say, in the calmer environment of Britain or North America.

There have, at almost all times, been links between Anglo-Saxon Freemasonry and at least some parts of continental Europe. But in some countries there have been long periods with little or no fruitful contacts with Britain and the United States. At such times, local traditions have occasionally developed along different paths from the rest of the Masonic world. The present book highlights both the variety and identity of some of these different lines of development and illustrates certain of these differences — and occasionally difficulties, even aberrations — which have taken root. However divergent, all have made their contribution to the varied, yet universal character of Freemasonry today.

In this work, I have, with one or two exceptions which are noted in the text, refrained from interpreting or commenting upon practices which may seem unusual to the British Mason today; this book deals generally with continental European practice before 1850, and is not necessarily relevant to Continental practice today. Similarly, certain matters readily understood by British and North American Masons may have called for a note of surprise in the text by its German Author accustomed to German practice today. In much the same way, the British Mason would doubtless find certain aspects of the work of some US Lodges puzzling or surprising. Some (if not all) of these have long traditions which go back to our own English (or Scottish or Irish or Military) usages a couple of hundred years ago and now lost from our own Rituals. My task, as I have seen it, has been to give a translation, not an interpretation, of the Author's text. I have thus used the nearest English equivalents of the German original, including (for example) the description usual amongst Continental Masons of the candlesticks traditionally used to illuminate the Lodge as 'greater' and 'lesser' lights, an expression which usually has a different meaning for us [except in the Royal Arch!]. But I alone am responsible for the inadequacies of the English text.

A translation of a work of this kind is an enjoyable task, and I have learned much from it. May the English-speaking reader obtain as much pleasure and stimulus from his study of this work as I have derived in translating it.

1975   Arthur Lindsay

Les Symboles et Rituels occupent une place importante dans les usages de la Franc-Maçonnerie. A travers eux les Francs-Maçons sont à même de communiquer entr'eux Ainsi s'ouvre aux Francs-Maçons un nouveau monde de l'expérience qui n'est accessible qu'indirectement au non-Maçon. Car la vraie compréhension de cette expérience intérieure n'est réservée qu'aux Frères Maçons. Ces considérations m'ont amené à publier une collection qui est parue en 1969 sous le titre «Usage Maçonnique en Images 1730–1840» sous l'égide de la Loge de Recherche Maçonnique Quatuor Coronati No. 808, Bayreuth. Ce livre fut épuisé après très peu de temps; une nouvelle impression n'était possible pour des raisons techniques.

J'ai profité de ce fait pour revoir tout le matériel graphique à ma disposition et de le rendre accessible aux cercles intéressés sous un nouveau concepte thématique. Ainsi ma première publication, qui s'était limitée à l'usage Maçonnique, a maintenant trouvé sa place dans la première partie plus étendue de cette œuvre compréhensive de l'ART ROYALE.

Lors de maintes symposia qui ont eu lieu au Château d'Aschbach le choix des gravures fut discuté avec Ludwig Peter Baron de Pölnitz, V. M. de la Loge de Recherche, et avec Hans Otto Bock, l'ancien Ven. Même que, de nos jours, une vue complète des représentations graphiques de la Franc-Maçonnerie ne semblait plus possible, les images les plus marquantes et les plus expressives de toutes les ramifications de la Franc-Maçonnerie devraient se voir présentées. Dans la mesure du possible, les textes furent repris des anciennes écritures, aussi bien quant à l'orthographe qu'à leur manière d'expression.

Pour des considérations de principe, seules les images publiées avant 1850 ont été utilisées. Sans l'appui infatiguable des Etats-Unis d'Amérique — notamment de la part de Herbert H. Stafford, New York — de Londres, Paris, Vienne, et surtout de toute l'Allemagne, cette oeuvre aurait été impossible.

Outre ma propre collection, j'ai eu la faveur de pouvoir accéder au matériel suivant:

Musée Maçonnique Allemand, Bayreuth, Directeur H. W. Lorenz;

Musées de la Ville de Vienne, Conseiller Principal Dr˙ May;

Bibliothèque et Collection des Beaux Arts des Princes Oettingen—Wallerstein, Château de Harbourg, Dr. von Volckamer;

Gottlieb Siegfried, Liebefeld-Bern, qui m'a présenté (entre autres) les images 44 et 117 de sa rare et précieuse collection de gravures;

Collection de gravures de la Loge «Zur Verbrüderung an der Regnitz», Bamberg.

Je dois mes remerciements les plus sincères à tous, en particulier aussi à mes traducteurs, Arthur Lindsay (Bruxelles) en langue anglaise, et Odette et Charles Haudot (Strasbourg) en français, ainsi qu'à L. Peter Baron de Pölnitz pour sa lecture minutieuse et critique des corrections.

Je n'ai, par intention, mis que de textes explicatifs, sans prise de position. Que chacun fasse ses propres comparaisons et qu'il tire ses conclusions à lui des anciens usages. Au non-initié, cependant, ce livre est destiné à faciliter la tâche de se faire une image de la Franc-Maçonnerie; elle n'est nullement aussi cachottière tant que ses ennemis n'ont l'habitude de la représenter.

Je suis conscient du fait que mes essais de laisser parler les images sans texte de continuité ne peuvent être que très incomplets. Le langage visuel des images sera pourtant un encouragement et une facilité pour certains, tandis que le chercheur y trouvera une fondation incorruptible.

Ce travail est destiné à contribuer à un élargissement de nos propres découvertes et expériences, et de démontrer comment la Franc-Maçonnerie, dès ses débuts, a voulu se faire comprendre en tant que notre ART ROYALE.

1975   Erich J. Lindner

INHALT / CONTENTS / TABLE DES MATIÈRES

DRITTER TEIL / PART THREE / TROISIÈME PARTIE

Allgemeine freimaurerische Darstellungen und verwandte Gebiete / General Masonic Illustrations and related subjects / Représentations maçonniques

ERSTER TEIL / PART ONE / PREMIÈRE PARTIE

TAB. CCCCXCVIII.

I. PARAL. Cap. XXVIII. v. 11. 12. 13.

I. Buch der Chron. Cap. XXVIII. v. 11. 12. 13.

Exemplar Templi Salomoni traditum.

Salomon empfängt das Tempel-Modell.

G. Lichtensteger sculps.

DIE JOHANNIS (BLAUE) LOGE

THE CRAFT (ST. JOHN'S) LODGE

LA LOGE DE ST. JEAN (BLEUE)

Frontispiz / Frontispiece / Frontispice

Salomo empfängt das Tempelmodell, 1731
Solomon receives the model of the Temple, 1731
Salomon reçoit la maquette du Temple, 1731

INHALT I / CONTENTS I / TABLE DE MATIÈRES I

Kupferstich / Copperplate / Estampe en taille douce

I/a   Bild   Print   Image   4,5 × 8,0 cm
      Platte   Plate   Plaque   —
      Blatt   Sheet   Feuille   8,0 × 17,3 cm
      Stecher   Engraver   Graveur   —

Aus dem Buch / From the book / Extrait du livre
RECUEIL PRÉCIEUX DE LA MAÇONNERIE ADONHIRAMITE ...
Philadelphia 1787. (Bes./Colln.: FM. Bibl. Bayreuth, Bibliogr.: Wo 33 380)

Gerade das erste Bild spiegelt so recht in seiner Unterschrift und Darstellung die ideellen Vorstellungen der damaligen Zeit wider: „Einführung des Freimaurer-Lehrlings in den Tempel der Tugend".
Überbetont im Bild die entblößte linke Brust. Ein „Aufseher" (mit Hammer, jedoch am Band eine Kelle) führt den Aufzunehmenden. Interessant die geschmückte Klappe seines Schurzes. Die Säulen stehen wie in alten Zeiten vor dem Tempel, geschmückt mit einem Spiegel.

This first illustration reflects accurately in its title and presentation the fanciful ideas of the period: "Introduction of the Apprentice Freemason into the Temple of Virtue".
The bared left breast overemphasized. A "Warden" (with gavel, but with a trowel on his collar) conducts the Initiate. Note the embellished flap on his apron. The columns stand in front of the Temple, as they did in ancient times, and each is adorned with a mirror.

Cette première image est, par sa légende et sa présentation, un reflet fidèle du monde des idées de l'époque: «Introduction de l'apprenti maçon dans le temple de la vertu.»
La gravure attire l'attention sur le sein gauche dénudé. Le «Surveillant» (muni d'un maillet, mais une truelle attachée à son écharpe) conduit le récipiendaire. Remarquons le decor de la bavette du tablier. Les colonnes, ornées de miroir, se trouvent, comme aux temps jadis, à l'extérieur du temple.

Introduction de l'Apprentif
maçon dans le Temple de la Vertu.

2 *Einführung in die Meisterloge / Introduction into the Master Masons' Lodge / Entrée du récipiendaire en Loge de Maître*

I/a Kupferstich / Copperplate / Estampe en taille douce

Bild	Print	Image	4,5 × 8,0 cm
Platte	Plate	Plaque	—
Blatt	Sheet	Feuille	7,5 ×17,3 cm
Stecher	Engraver	Graveur	—

Aus dem Buch / From the book / Extrait du livre
RECUEIL PRÉCIEUX DE LA MAÇONNERIE ADONHIRAMITE . . .
Philadelphia 1787. (Bes./Colln.: FM. Bibl. Bayreuth, Bibliogr.: Wo 33 380)

Dieser Stich ist sehr interessant, da er wichtige Teile des damaligen Rituals zeigt. Beim Eintritt ist dem Gesellen der Schurz abgenommen worden. Danach setzt ihm der einführende Bruder beim „Eintritt des aufzunehmenden Kandidaten in der Loge der Meister" seinen Degen auf die Brust.
Der Teppich ist nur zur Hälfte zu sehen. Die Wandverkleidung ist dem Teppich nachgebildet.

This engraving is of interest, as it shows important parts of the ritual of the period. On his entrance, the Fellowcraft has had his apron removed. On the entrance of the Candidate into the Master Masons' Lodge his conductor places his sword at his breast.
The carpet or tracing-board can only be partly seen. The wall coverings repeat the design of the tracing-board.

Cette gravure est particulièrement intéressante parce qu'elle montre des parties importantes du rituel de cette époque. A l'entrée, le tablier a été repris au Compagnon. Le Frère introducteur applique son épée sur la poitrine du «récipiendaire à l'entrée en loge de maître.»
Seule une moitié du tapis est visible. Les tentures des murs sont semblables au tapis.

Entrée du Recipiandaire
en Loge de Maître

3 *Eintritt in das Logenheim / Entrance into the Lodge / Entrée dans la Loge*

Kupferstich / Copperplate / Estampe en taille douce

I/a

Bild	Print	Image	5,8 × 7,8 cm
Platte	Plate	Plaque	? × 10,5 cm
Blatt	Sheet	Feuille	8,0 × 11,5 cm
Stecher	Engraver	Graveur	—

Aus dem Buch / From the book / Extrait du livre
DAS ENTDECKTE GEHEIMNIS DER ANTI-ABSURDEN GESELLSCHAFT
Cöln 1759. (Bes./Colln.: Ldr., Bibliogr.: Wo 29 979 Kl. 351)

Nur der Meister am Fensterchen, wie es im Text heißt, trägt ein Schulterband von links nach rechts.

Der Text im ersten Kapitel „Reception" gibt Aufschluß über den Stich an sich: „Der Aufzunehmende kömmt mit jemand aus der Gesellschaft und klopft an die Thüre. Man frägt ihn, was er will? Er antwortet, ich wünsche hereinzutreten. Hier macht der Thürsteher ein Fensterchen auf, das neben der Thür ist, und der Meister frägt: Warum verlangen Sie hereinzutreten? "

The text states that only the Master at the window wears a sash over his left shoulder to his right side.

In the first chapter "Reception", the text explains the etching: "The Candidate comes with someone of the company and knocks on the door. He is asked what he wants. He replies 'I wish to enter'. Now the Tyler guarding the door opens a small window next to the door and the Master asks 'Why do you demand entrance? '."

D'après le texte, seul le Maître, derrière la petite fenêtre, porte une écharpe, de gauche à droite.

Le texte du premier chapitre «Réception» nous commente la gravure: «Le récipiendaire, accompagné d'un membre de la société, frappe à la porte. On lui demande ce qu'il désire. Il répond: je voudrais entrer. Le Couvreur ouvre la petite fenêtre jouxtant la porte et le maître demande: Pourquoi voulez-vous entrer? »

4

Vorbereitung zur Aufnahme / Preparation of the Candidate for Initiation / Préparation pour la réception

I/a   Bildgröße unbekannt / picture size unknown / mesures inconnues

Aquarell von / Watercolour by / Aquarelle de
Ehrenreich Christof Rich. Hans Freiherr von Hirschfeldt (?).

Über Größe des Bildes und sein Verbleib in Wien hat sich trotz Bemühungen nichts mehr feststellen lassen. Entnommen ist es aus dem Buch: Friedrich Anton von Schönholz, „Traditionen zur Charakteristik Österreichs, seines Staats- und Volksleben unter Franz I." Georg Müller, München 1914. Der Verfasser schreibt auf Seite 20 dazu:

„. . . daß das nebenstehende Bild die Aufnahmeceremonie in einer Wiener Loge, wahrscheinlich jene von Franz Brabbée (1758–1831) vorstellt und dessen Stammbuch entnommen ist (mit gütiger Erlaubnis des Herrn Obering. Rich. Brabbée)."

Von kompetenter Seite wird mir hierzu aus Wien mitgeteilt, daß es sich bei diesem Bilde um eine Aufnahme der Gold- und Rosenkreuzer handelt. Hierauf deuten die sieben Leuchter hin. Da es sich um eine freimaurerische Aufnahme handeln soll, dürfte eine Wiener Loge dargestellt sein, die stark von den Gold- und Rosenkreuzern beeinflußt worden ist. Gezeigt ist die Einführung in das Vorzimmer. Ungeklärt ist die Zahl „Sieben" statt acht, resp. neun Leuchter (Grade).

Despite all endeavours, nothing further can be established about the size of the picture or its whereabouts in Vienna. It is reproduced from the book "Traditionen zur Charakteristik Österreichs, seines Staats- und Volksleben unter Franz I." (Traditions concerning Austrian characteristics, its national and popular life under Francis I) by Friedrich Anton von Schönholz, published by Georg Müller, Munich 1914. The author writes on page 20 concerning this:

". . . this plate represents the Ceremony of Initiation in a Viennese Lodge, probably that of Franz Brabbée (1758–1831) and is taken from his album (with the kind permission of Chief Engineer Rich. Brabbée)! "

I am reliably informed from Vienna that this picture shows an admission into the Gold and Rose Croix. The seven candelabra suggest this. Since it purports to be a Masonic Initiation, this was probably a Viennese Lodge strongly influenced by the Gold and Rose Croix. The representation shows the introduction of the Candidate into the anteroom. It is unclear why there are seven, not eight or nine lights (Degrees).

Les recherches entreprises n'ont pu apporter des éclaircissements sur la taille du tableau, ni sur l'endroit où il se trouve à Vienne. Il est extrait du livre de Friedrich-Anton von Schönholz «Traditionen zur Charakteristik Österreichs, seines Staats- und Volksleben unter Franz I.» (Traditions et caractéristiques de l'Autriche, de la vie politique et sociale sous François Ier.) Munich chez Georg Müller 1914. L'auteur note page 20:

«. . . le tableau représente la cérémonie de la réception dans une Loge de Vienne, probablement celle de François Brabbée (1758–1831) et il est extrait du livre de généalogie de celui-ci, (avec l'aimable autorisation de Monsieur l'Ingénieur en chef Rich. Brabbée).»

D'après une source autorisée de Vienne, il s'agirait ici d'une réception chez lez Auricruciens et Rose-Croix. La preuve peut en être donnée par les sept lumières. Comme il s'agit d'une réception maçonnique, on peut supposer que c'est une Loge viennoise fortement influencée par les Auricruciens et Rose-Croix. La scène représente l'introduction dans le parvis. La raison pour les «sept» lumières au lieu de huit ou neuf (grades) est inconnu.

5

I/b

Aufnahme als Lehrling / Initiation of an Apprentice / Réception de l'Apprenti

Kupferstich / Copperplate / Estampe en taille douce

Bild	Print	Image	7,8 × 12,8 cm
Platte	Plate	Plaque	9,0 × 14,0 cm
Blatt	Sheet	Feuille	9,6 × 15,1 cm
Stecher	Engraver	Graveur	S. Focke

Aus dem Buch / From the book / Extrait du livre
L'ORDRE DES FRANCS-MAÇONS TRAHI, ET LE SECRET DES MOPSES RÉVÉLÉ.
Amsterdam 1745, Jean Neaulme, 1. Ausg. (Bes./Colln.: Ldr., Bibliogr.: Wo 29 963 Kl. 1860)

Dieses Bild ist von einer wirklich ergreifenden Bewegtheit. Die Degen mehrerer Brüder sind auf den Aufzunehmenden gerichtet, während ein Bruder ihm die Binde von den Augen nimmt. Der Groß-Meister (siehe Text) hat sich gerade erhoben, um den neuen Bruder zu begrüßen, der jetzt das freimaurerische Licht erblickt hat.

Es ist das einzige mir bekannte Bild, auf welchem alle sieben Brüder einen Dreispitz tragen; außerdem einen langen, bis zum Knie reichenden Schurz, dessen Klappe heruntergeschlagen ist. Abzeichen oder Bänder sind auf diesem Kupferstich nicht zu erkennen.

Das rechte Knie des neuen Bruders ist entblößt, nicht jedoch die Brust. Der Teppich ist nach altem Brauch auf den Fußboden aufgezeichnet. Auf dem Altar ist das Buch (lt. Text, Bibel) aufgeschlagen, mit je einer Kerze rechts und links. Von den drei kleinen Lichtern ist eines im Süd-Osten des Teppichs sichtbar.

This plate is of truly moving vividness. The swords of several Brethren are held pointing to the Candidate whilst one of the Brethren removes the hoodwink. The Grand Master (*cf.* text) has just risen to greet the new Brother who has now seen the Light of Masonry.

This is the only picture known to me in which all seven Brethren wear the tricorn, and in addition a long apron reaching to the knees whose flap is worn downwards. Jewels or ribbons are not to be seen in this engraving.

The right knee of the newly-made Brother is bared, but not his breast. According to ancient custom, the tracing-board is drawn on the floor. Upon the altar lies the open book (according to the text, the Bible), with a candle to left and right. Of the three Lesser Lights, one can be seen at the SE corner of the tracing-board.

Cette gravure reflète une atmosphère émouvante. Plusieurs Frères pointent leur epée sur la poitrine du récipiendaire, pendant qu'un autre Frère lui enlève le bandeau des yeux. Le Grand-Maître (voir texte) vient de se lever pour saluer le nouveau Frère qui vient de recevoir la lumière maçonnique.

C'est la seule image qui me soit connue, sur laquelle tous les sept Frères portent le tricorne, ainsi qu'un tablier allant aux genoux et dont la bavette est rabattue. On ne peut reconnaître ni sautoir, ni bijou sur cette gravure.

Le genou droit du nouveau Frère est dénudé; sa poitrine, par contre, est couverte. Le tapis est dessiné sur le sol, selon l'ancienne coutume. Le volume de la loi sacrée (le texte dit la Bible) est ouvert sur l'autel, flanqué d'un cierge en dextre et en sénestre. Au sud-est du tapis, on aperçoit une des trois colonnettes.

Pl. III.

6 *Aufnahme als Meister* / *Raising of a Master Mason* / *Réception du Maître*

Kupferstich / Copperplate / Estampe en taille douce

I/b

Bild	Print	Image	7,6 × 12,8 cm
Platte	Plate	Plaque	9,1 × 14,0 cm
Blatt	Sheet	Feuille	9,7 × 15,2 cm
Stecher	Engraver	Graveur	S. Focke

Aus dem Buch / From the book / Extrait du livre
L'ORDRE DES FRANCS-MAÇONS TRAHI, ET LE SECRET DES MOPSES RÉVÉLÉ
Amsterdam 1745, Jean Neaulme, 1. Ausg. (Bes./Colln.: Ldr., Bibliogr.: Wo 29 963 Kl. 1860)

Der Groß-Meister (lt. Text) nimmt gerade die Erhebung vor. Der zu Erhebende liegt auf einem schwarzen Teppich. Die Tränen sind auf dem Fußboden aufgemalt. Sein Gesicht ist durch ein Tuch verdeckt. Sein rechtes Bein ist angewinkelt.

Der Meister beginnt die Erhebung mit den fünf Punkten. Er hat Fuß an Fuß und Knie an Knie gestellt. Mit dem Griff beginnt dann die eigentliche Umarmung, die zwischen Zirkel am Altar und Winkelmaß im Westen stattfindet.

Die drei kleinen Lichter aus je drei Kerzen sind zur Seite gestellt worden, so daß ihre eigentliche Stellung nicht mehr definiert werden kann. Alle acht Brüder tragen nur einen langen Schurz. Der Bruder links und der dritte von rechts haben deutlich die Klappe nach oben geknöpft, während sie bei dem Bruder vorne rechts auf dem Bild herunterhängt. Degen, Abzeichen und Bänder sind nicht zu erkennen, wohl aber tragen alle Brüder wieder den Hut. Alle stehen in aufmerksamer, aber ungezwungener Haltung.

The Grand Master *(sic)* is in the process of raising the Candidate, who lies on a black cloth. Tears are painted on the floor. His face is covered by a cloth, and his right leg forms a square.

The Master begins to raise him on the fPoF. He has placed foot to foot and knee to knee. With the grip begins the embrace which takes place between the compass near the altar and the square in the West.

The three Lesser Lights, each consisting of three candles, have been moved aside, and their proper location can no longer be defined. All eight Brethren wear long aprons only. Those at extreme left and third from right have knotted their flaps upwards, whilst it hangs down on that of the Brother in the right foreground. Swords, jewels and sashes are not recognisable, but all Brethren are again wearing hats. All stand attentively but relaxed.

Le Grand-Maître (d'après le texte) est en train de procéder à l'élévation au grade de Maître. Le récipiendaire est étendu sur un tapis noir. Les larmes sont dessinées sur le sol. Un linge cache son visage. Sa jambe droite est repliée en équerre.

Le Maître procède à l'élévation à l'aide des cinq points. Il s'est placé pied contre pied, genou contre genou. C'est avec l'attouchement que commence l'accolade fraternelle qui a lieu entre le compas de l'autel et l'équerre à l'ouest.

Les trois flambeaux comprenant trois étoiles ont été mis de côté; on ne peut donc plus définir leur véritable emplacement. Tous les huit Frères ne portent qu'un tablier long. Le Frère à gauche et les trois Frères à droite portent la bavette ostensiblement relevée vers le haut, le Frère à droite au premier plan, par contre, la porte rabattue. On ne peut reconnaître ni épée, ni bijou, ni sautoir, par contre tous les Frères portent de nouveau le tricorne. Leur attitude est dégagée, mais cependant attentive.

Druck / Print / Estampe

I/b

LES COUTUMES DES FRANCS-MAÇONS DANS LEURS ASSEMBLÉES, PRINCIPALEMENT POUR LA RÉCEPTION DES APPRENTIFS ET DES MAITRES
(Bes./Colln.: Fürstl. Oe. Wa., Bibliogr.: Wo 34 510 Kl. 1855)

Wahrscheinlich 1744 oder zu Beginn des Jahres 1745 erschienen diese Blätter in Paris, Blatt 1 bis 4 und 6 „chez Crepy rue S Jacques à S. Pierre (près la rue de la parcheminerie)", Blatt 5 und 7 jedoch „chez J. Chereau rue St. Jacques au Coq et àprésant chez Crepy rue S. Jacques à S. Pierre près la rue de la Parcheminerie". Diese „Erstausgabe" liegt u. a. in der Kupferstich-Abteilung des Freimaurer-Museums in Bayreuth. Hier ist aber die kurz darauf erschienene (abgekupferte!) Ausgabe „bey B. C. Breitkopf, Leipzig" für diese Zusammenstellung gewählt worden. Es ist wichtig, daß dies die einzige Ausgabe der damaligen Zeit ist mit der Jahresangabe 1745 unter ausdrücklicher Berufung auf die „in Deutschland noch nie gesehenen Französischen Originale".

Bis Anfang des 19. Jahrhunderts sind unzählige Abkupferungen in Büchern und auch Einzeldrucke vorgenommen worden.

Als wahrscheinlich letzter bedeutender Nachdruck muß die Lithographie in England in Bunt erwähnt werden, die 1809 bis 1812 erschien. Hingewiesen werden muß auf die Zusammenfassung von Dr. B. Beyer in Band V „Das Freimaurer Museum", Leipzig 1930, Seite 230—246: „Eine interessante Serie maurerischer Kupferstiche des 18. Jahrhunderts". Interessant sind seine Hinweise auf die Karikaturen dieser sieben Stiche. Hier sind die Personen durch Tiere ersetzt worden.

These pages appeared in Paris, probably in 1744 or early 1745, sheets 1—2, 3—4 and 6 "chez Crepy rue S. Jacques à S. Pierre (près la rue de la parcheminerie)", sheets 5 and 7 however "chez J. Chereau rue St. Jacques au Coq et àprésant ches Crepy rue St. Jacques à S. Pierre près la rue de la Parcheminerie." This "First Edition" exists i. a. in the Copperplate Section of the Masonic Museum in Bayreuth. However, for the present group the (copied!) edition which appeared shortly afterwards "bey B. C. Breitkopf, Leipzig" has been chosen. It is important to note that this is the only edition of the period which gives the year 1745 with specific reference to the "French originals never before seen in Germany".

Up to the beginning of the 19th century numerous copies were made in books and as separate prints.

Probably the last important reprints appeared as colour lithographs in England 1809—1812. In his summary, vol. V "Das Freimaurer-Museum", Leipzig 1930, pp. 230—246, Dr. B. Beyer comments: "An interesting set of Masonic copper engravings of the 18th century". His reference to caricatures of these seven etchings is of interest, in which animals are substituted for the persons depicted.

Les pages 1 à 4 et 6 ont probablement paru en 1744 ou au début de 1745 à Paris «chez Crépy rue St. Jacques à St. Pierre (près la rue de la Parcheminerie)», les pages 5 et 7 par contre, «chez J. Chereau rue St. Jacques au Coq et àprésent chez Crépy rue St. Jacques à St. Pierre près de la rue de la parcheminerie». Cette «1ère édition» se trouve entre autre au musée maçonnique de Bayreuth. Pour cette publication l'édition parue peu de temps après chez B. C. Breitkopf à Leipzig a été choisie. Il faut remarquer qu'elle est la seule édition de cette époque portant mention de l'année 1745, avec la remarque: «Originaux français inconnus en Allemagne».

Jusqu'au début du 19ème siècle, de nombreux tirages en ont été réalisés tant dans des livres que dans des publications détachées.

Nous évoquerons le dernier tirage polychrome important qui fut publié en Angleterre de 1809 à 1812. Il faut se reporter aux travaux du Dr. B. Beyer dans son ouvrage: «Le musée maçonnique», Leipzig 1930, pages 230—246: «Une série intéressante de gravures sur cuivre maçonniques du 18ème siècle». Notons ses commentaires des caricatures de ces 7 gravures. Les personnages humains y sont remplacés par des animaux.

LES
COUTUMES DES FRANCS-MACONS
DANS LEURS ASSEMBLEES,
PRINCIPALEMENT
POUR LA RECEPTION DES APPRENTIFS
ET DES MAITRES,
TOUT NOUVELLEMENT ET SINCEREMENT
DECOUVERTES.

Neu und aufrichtig entdeckte

Gebräuche der Freymäurer
bey ihren Versammlungen,
besonders
Bey Aufnahme ihrer Lehrlinge und Meister,
nach dem
in Deutschland noch nie gesehenen Französischen Original,
auß accurateste in Kupfer gebracht
von
Johann Martin Bernigeroth.

Leipzig, zu finden bey dem Verfertiger, auf dem Neumarkt im Heinickischen Hause, neben der hohen Lilie, auch in Commißion zu haben bey B. C. Breitkopf,
1745.

Erklärung der Kupfer.

1 Versammlung der Freymäurer wegen Aufnahme der Lehrlinge.
Eingang des Aufzunehmenden in die Loge.

1 Der Obermeister.
2 Der erste Aufseher.
3 Der andere Aufseher.
4 Der Aufzunehmende.
5 Der Redner.
6 Der Secretarius.
7 Der Schatzmeister.
8 Der Thürsteher.

2 Versammlung der Freymäurer wegen Aufnahme der Lehrlinge.
Der Aufzunehmende legt den Eyd ab, indem er die Hand auf das Evangelien Buch leget, die Geheimnisse der Freymäurer niemals zu entdecken.

1 Der Obermeister.
2 Der Redner.
3 Der Aufzunehmende.
4 Der Secretarius.
5 Der erste Aufseher.
6 Der andere Aufseher.
7 Der Schatzmeister.

3 Versammlung der Freymäurer wegen Aufnahme der Meister.
Der andere Aufseher macht das Meisterzeichen, und sucht den Aufzunehmenden, welcher sich noch außen vor der Loge bey demjenigen Bruder befindet so die Aufzunehmenden auszuforschen pfleget.

1 Der Obermeister.
2 Der Redner.
3 Der Secretarius.
4.5.6 Brüder, so nach der Ceremonie zum Gastmahle aufgeschrieben sind.
7 Der erste Aufseher.
8 Der andere Aufseher.
9 Der Schatzmeister.
10 Der Thürsteher.

4 Versammlung der Freymäurer wegen Aufnahme der Meister.
Eingang des Aufzunehmenden in die Loge.

1 Der Obermeister.
2 Der Redner.
3 Der Secretarius.
4.5.6. Brüder, so nach der Ceremonie zum Gastmahle aufgeschrieben sind.
7 Der erste Aufseher.
8 Der andere Aufseher.
9 Der Schatzmeister.
10 Der Thürsteher.
11 Der Aufzunehmende, so in die Loge tritt.
12 Ein Aufzunehmender, welchen der Oberm. die Umarmung noch nicht gegeben hat.

5 Versammlung der Freymäurer wegen Aufnahme der Meister.
Man legt den Aufzunehmenden auf den in der Loge gezeichneten Sarg.

1 Der Obermeister.
2 Der erste Aufseher.
3 Der andere Aufseher.
4 Der Aufzunehmende, so auf den Sarg geleget wird.
5.6.7 Aufzunehmende, denen der Oberm. die Umarmung noch nicht gegeben hat.
8 Der Redner.
9 Der Secretarius.
10 Der Schatzmeister.
11 Der Thürsteher.

6 Versammlung der Freymäurer wegen Aufnahme der Meister.
Der Aufzunehmende liegt auf dem in der Loge gezeichneten Sarge, ist mit einem mit Blut gefärbten leinenen Tuche bedeckt, und die umstehenden halten ihm die Spitzen der ausgezogenen Degen auf den Leib.

1 Der Obermeister.
2 Der erste Aufseher.
3 Der andere Aufseher.
4 Der Aufzunehmende, so auf dem Sarge lieget.
5.6.7 Aufzunehmende, denen der Obermeister noch nicht die Umarmung gegeben hat.

7 Versammlung der Freymäurer wegen Aufnahme der Meister.
Der Obermeister richtet den Aufzunehmenden wieder auf, berührt ihn, giebt ihm die Umarmung und sagt ihm das Meisterwort.

1 Der Obermeister.
2 Der erste Aufseher.
3 Der andere Aufseher.
4 Der Aufzunehmende.
5 Der Redner.
6 Der Schatzmeister.
7 Der Secretarius.

8   *Einführung des Aufzunehmenden in die Loge / Introduction of the Candidate in the Lodge / Entrée du récipiendaire dans la Loge*

I/b   Kupferstich / Copperplate / Estampe en taille douce

Bild	Print	Image	31 × 18 cm
Platte	Plate	Plaque	33 × 21 cm
Blatt	Sheet	Feuille	44 × 27,5 cm
Stecher	Engraver	Graveur	Bernigeroth

Der Serie Bild 1 / Print 1 of set / Image 1 de la série
(Bes./Colln.: Ldr.)

Der Großmeister sitzt als einziger mit Hut auf einem Stuhl. Vor ihm ein kleines Tischchen mit aufgeschlagenem Evangelium (lt. Text), davor ein Schemel mit Winkel und Dolch.

Von den drei kleinen Lichtern stehen zwei im Osten, das dritte im Süd-Westen. Der Teppich zeigt alle Merkmale vom ersten und zweiten Grad: die beiden Säulen tragen das J und B, zusätzlich die Beschriftung „Force" und „Sagesse", unter dem flammenden Stern „Beauté"! Diese Beschriftung ist im französischen Original nicht vorhanden. Zwischen dem Vereinigungsband und unter dem Winkel die Inschrift „Fidelitas moribus unitas". Weiter sind hier schon die sieben Stufen mit dem musivischen Fußboden vorhanden.

Die Abzeichen der Beamten sind deutlich zu erkennen. Mehrere Brüder tragen einen Degen. Alle tragen einen langen Schurz mit herunterhängender Klappe. Der Suchende mit verbundenen Augen, entblößter linker Brust und rechtem Knie wird gerade vom Aufseher hereingeführt. Der Aufseher trägt einen deutlich erkennbaren Hammer. Zu beachten ist die merkwürdige Zusammenstellung in dem Bildtext: „. . . tres veridiqve Frere profane . . .".

The Grand Master is seated on a chair; he alone wears a hat. A small table before him with open Gospel (according to text), in front of this a stool with square and dagger.

Two of the Lesser Lights stand in the East, the third in the Southwest. The tracing-board shows all the symbols of the First and Second Degrees: the two columns are marked J and B, and in addition the words 'Force' and 'Sagesse' (Strength, Wisdom), under the blazing star "Beauté". These words do not appear in the French original. Under the square the inscription "Fidelitas moribus unitas". Further, the seven steps and the mosaic pavement are here already in evidence.

The Jewels of the Officers are clearly distinguishable. Several Brethren wear swords. All wear long aprons with the flaps down. The Candidate with hoodwink, bared left breast and right knee is being introduced by the Junior Warden, who is clearly seen to carry a gavel. Note the peculiar phrasing of the dedicatory text: ". . . tres veridiqve Frere profane . . .".

Le Grand-Maître, seul coiffé, est assis sur une chaise, derrière une petite table portant les livres des Evangiles (cf. texte) ouverts; devant cette table un tabouret avec une équerre et un poignard.

Deux des trois colonnettes se trouvent à l'Orient, la troisième au sud-ouest. Le tapis porte tous les signes des 1er et 2ème degrés. Les 2 colonnes portent le J et le B, ainsi que les mots Force et Sagesse. L'étoile flamboyante coiffe le mot: Beauté. Ces mots ne figurent pas dans le document original français. Sous le lac d'amour et l'équerre, on peut lire: «Fidelitas moribus unitas». On remarque également les 7 marches, ainsi que le pavé mosaïque.

Les bijoux des officiers sont faciles à discerner. Plusieurs Frères portent une épée. Tous portent le tablier long, avec la bavette rabattue. Le récipiendaire, les yeux bandés, le sein gauche et le genou droit dénudés, vient d'être introduit par le Surveillant. Celui-ci porte un maillet apparent. A remarquer l'expression bizarre dans la légende: « . . . tres veridiqve Frere profane . . .»

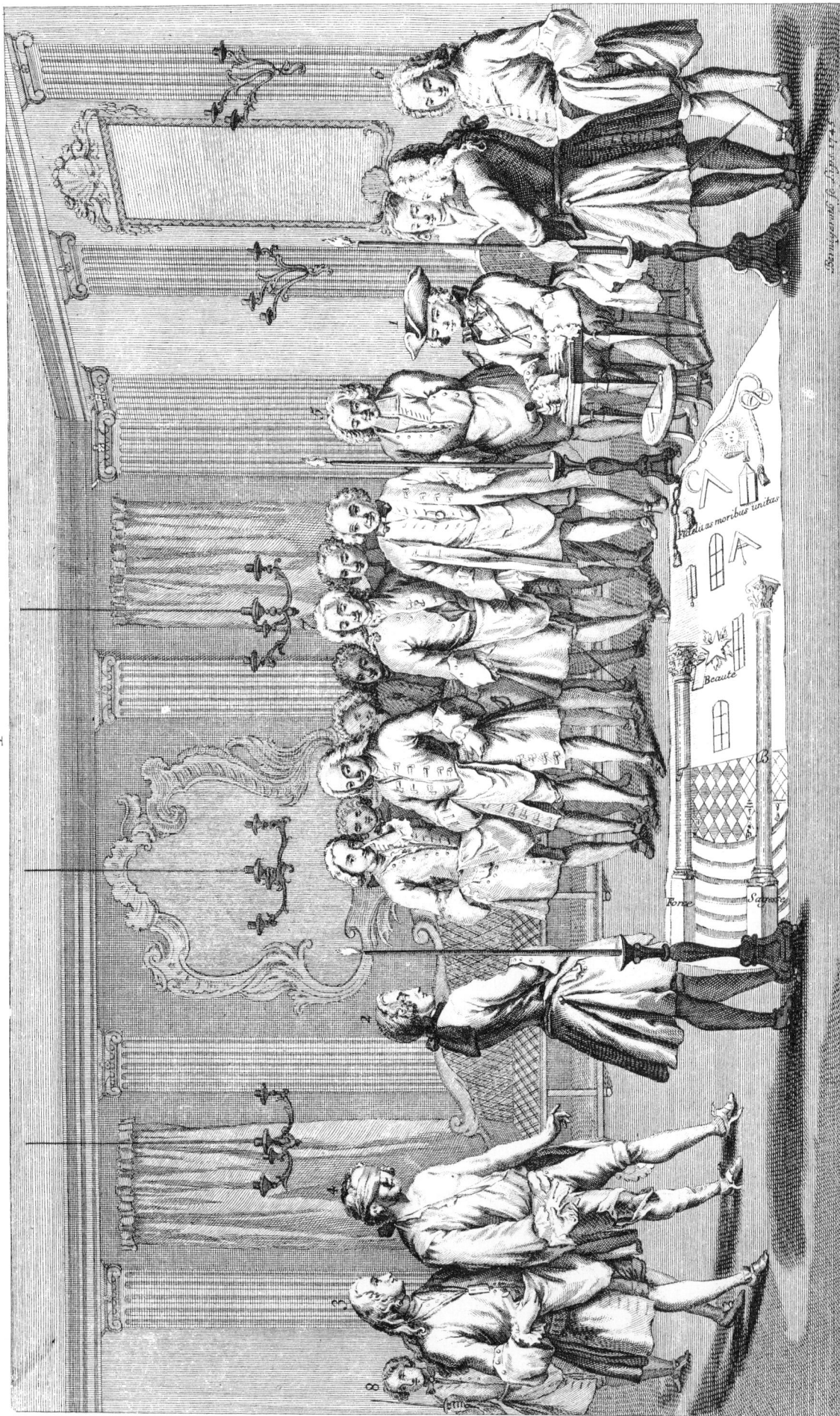

Sagesse Force Beaute Virtus as moribus unitas

Assemblée de Francs-Maçons pour la Reception des Apprentifs.

Entrée du Recipiendaire dans la Loge.

Dedié au tres Galant, tres sincere et tres veridique Frere profane Leonard Gabanon, Auteur du Catechisme des Francs-Maçons.

Dessiné par Madame la Marquise de ★★★. et Gravé par Mademoiselle ★★★★.

Boucquet fec. Paris 1745.

1. Le Grand-Maître.
2. le p.ʳ Surveillant.
3. le 2.ᵈ Surveillant.
4. le Recipiendaire.

5. l'Orateur.
6. le Secretaire.
7. le Tresorier.
8. le Frere Sentinelle.

9   *Der Aufzunehmende legt den Eyd ab / The Candidate takes the Oath / Le récipiendaire prête serment*

I/b   Kupferstich / Copperplate / Estampe en taille douce

Bild	Print	Image	30,5 × 17,5 cm
Platte	Plate	Plaque	32,5 × 21,0 cm
Blatt	Sheet	Feuille	43,0 × 27,0 cm
Stecher	Engraver	Graveur	Bernigeroth

Der Serie Bild 2 / Print 2 of set / Image 2 de la série
(Bes./Colln.: Ldr.)

Der Groß-Meister, mit Hut auf der linken Bildseite, nimmt stehend die Vereidigung des Aufzunehmenden vor. Er führt in der rechten Hand den Hammer, in der linken den Dolch. Der Aufzunehmende bildet mit seinen Beinen einen doppelten rechten Winkel: linkes Bein ausgestreckt — rechtes Bein kniet auf dem Schemel. Mit der linken Hand setzt er den geöffneten Zirkel sich selbst auf die linke entblößte Brust.

Hinter dem Aufzunehmenden kreuzen vier Brüder (Beamte?), darunter u. a. der Sekretär und der Schatzmeister ihre Degen. Die Abzeichen der Beamten sind deutlich zu erkennen. Alle tragen einen Schurz mit herunterhängender Klappe. Der Teppich gleicht wieder dem auf dem vorigen Bild, jedoch mit zusätzlicher Beschriftung. Von den drei kleinen Lichtern stehen wieder zwei im Osten und eines im Süd-Westen.

The Grand Master (with hat) standing on the left administers the Obligation to the Candidate. He holds the gavel in his right, the dagger in the left. The Candidate forms a double right angle with his legs: left leg straight, right leg kneeling on the stool. With his left hand he places the open compasses on his own left bared breast.

Behind the Candidate four Brethren (Officers?) including the Secretary and Treasurer cross their swords. The jewels of the officers can be clearly distinguished. All wear aprons with flaps down. The tracing-board is similar to the previous illustration, but with additional inscriptions. Of the three Lesser Lights two again stand in the East, the other in the Southwest.

A l'extrême gauche de la gravure, le Grand-Maître, coiffé de son chapeau, reçoit, debout, le serment du récipiendaire. Sa main droite tient un maillet, la gauche un poignard. Le recipiendaire forme avec ses pieds un double angle droit: la jambe gauche tendue, la droite agenouillée sur un tabouret. De sa main gauche il applique lui-même le compas ouvert sur son sein gauche dénudé.

Derrière le récipiendaire, quatre Frères (des officiers?), dont le secrétaire et le trésorier, forment la voûte d'acier. Les bijoux des officiers sont clairement reconnaissables. Tous portent un tablier à bavette rabattue. Le tapis est semblable à celui de l'image précédente, avec des inscriptions supplémentaires. Deux des trois colonnettes se trouvent de nouveau à l'Orient, la troisième au sud-ouest.

Assemblée de Francs=Maçons pour la Reception des Apprentifs.

Le Recipiendaire fait serment, avec imprecation la main sur l'Evangile, de ne jamais reveler les mysteres de la Maçonnerie.

Dedié au tres Galant, tres sincere et tres veridique Frere profane Leonard Gabanon, Auteur du Catechisme des Francs-Maçons.

1. Le Grand Maitre.
2. L'Orateur.
3. le Recipiendaire.
4. le Secretaire.

5. le p.r Surveillant.
6. le 2.e Surveillant.
7. le Tresorier.

Beauguuois f. 1745.

I/b   Kupferstich / Copperplate / Estampe en taille douce

Bild	Print	Image	31,5 × 18 cm
Platte	Plate	Plaque	32,5 × 21 cm
Blatt	Sheet	Feuille	44,0 × 27 cm
Stecher	Engraver	Graveur	Bernigeroth

Der Serie Bild 3 / Print 3 of set / Image 3 de la série
(Bes./Colln.: Ldr.)

Dieser Stich zeigt den Beginn der Meistererhebung. In dieser Serie gibt es also nur zwei Grade.

Der Groß-Meister — ohne Hut — sitzt auf der rechten Bildseite unter einem großen Baldachin. Er trägt den Winkel wieder am Halsband, den Hammer in der rechten Hand. Auf dem Tischchen vor ihm ist kein Buch, während es auf dem entsprechenden Stich 2 der französischen Originalausgabe zu erkennen ist.

Der Teppich mit weißem Grund ist bedeckt mit den Zeichen der Tränen. Der Sarg ist aufgezeichnet, darauf liegt ein Akazienzweig. Hier hat Bernigeroth das verlorene Meisterwort hinzugefügt! Alle Brüder tragen einen Schurz, einige einen Degen. Zu beachten ist auf diesem Stich, daß der Thürsteher (lt. Text) seinen Degen gezogen hat und in der anderen Hand den Degen des Aufsehers trägt.

Dieser Kupferstich zeigt den Moment des Eintritts des Aufsehers, welcher gerade das Meisterzeichen machen will. Zu vergleichen ist hier der französische und der deutsche Text, wobei letzterer logischer erscheint. Bei den Brüdern 4, 5, 6 ist die französische Unterschrift interessant: „Frères aux Rouleaux de papier". Bernigeroth bringt deutsch: „Brüder, so nach der Ceremonie zum Gastmahle aufgeschrieben (Papierrolle) sind". Wahrscheinlicher ist aber, daß diese drei Brüder bei der Durchschreitung des Sarges die drei Schläge ausführen (mit der Papierrolle).

Von den drei kleinen Lichtern mit je drei Kerzen stehen wieder zwei im Osten und eines im Südwesten.

This etching shows the beginning of the Ceremony of Raising. In this set, there are only two Degrees.
The Grand Master, without hat, is seated right under a large baldachino. He again wears the square on his collar and carries the gavel in his right. On the small table no book can be recognised, whilst it can be seen on the corresponding plate 2 of the original French edition.

The carpet is covered with tears on a white ground. On it the design of a coffin, with a branch of acacia. Bernigeroth has here added the lost Master's Word! All Brethren wear aprons, and some also wear swords. Note that on this etching the Tyler has drawn his sword and holds (according to the text) the sword of the Warden in his other hand.

This representation shows the moment of the Warden's entrance, about to make the Master's Sign. It is of interest to compare the French and German texts; the latter here seems more logical. For the figures of the Brethren 4, 5, 6 the French note is of interest: "Frères aux rouleaux de papier". Bernigeroth substitutes in German: "Brethren registered for the Banquet after the Ceremony". It is however more probable that these three Brethren wait to inflict the three blows upon the Candidate with the rolls of paper, as he passes across the coffin (*cf.* modern US rituals-Transl.). Of the three Lesser Lights, each with three candles, two are again in the East and the other in the Southwest.

Cette gravure montre le début d'une réception de maître. Dans cette série il n'y a donc que 2 grades. A droite l'image représente le Grand Maître, tête nue, assis sous un grand dais. Il porte l'équerre en sautoir, le maillet dans la main droite. Pas de livre visible sur la petite table devant lui, alors qu'il l'a été dans la gravure 2 de l'édition originale française correspondante.
Le tapis à fond blanc est parsemé de larmes; le cercueil y est dessiné, surmonté d'une branche d'acacia. Ici Bernigeroth a ajouté la parole perdue! Tous les Frères portent le tablier, quelques-uns portent une épée. Il est à remarquer que le Couvreur (cf. texte) a tiré son épée et tient dans l'autre main l'épée du Surveillant. Cette gravure fixe l'instant de l'entrée du Surveillant qui va faire le signe de maître. Il est intéressant de comparer les légendes françaises et allemandes, celles-ci semblant plus logiques que celles-là. Le texte français dit en parlant des Frères 4, 5, 6: «Frères aux rouleaux de papier». Bernigeroth dit, en allemand; «Frères qui sont inscrits pour le agapes fraternelles après la cérémonie». Il semble vraisemblable que ces trois Frères vont frapper le candidat de trois coups de leur rouleau de papier au moment où il traverse le cercueil.

Assemblée de Francs-Maçons pour la Reception des Maîtres.

Le Second Surveillant, fait le signe de Maître et va chercher le Recipiendaire
qui est pour lors en dehors de la Loge avec le Frere Terrible.

Dedié au tres Galant, tres sincere et tres veridique Frere profane Leonard Gabanon, Auteur du Catechisme des Francs-Maçons.

1. Le Grand-Maître.
2. l'Orateur.
3. le Secretaire.
4.5.6. Freres aux Rouleaux
de papier.

7. le premier Surveillant.
8. le second Surveillant.
9. le Tresorier.
10. le Frere Sentinelle.

11 *Eintritt des Aufzunehmenden in die (Meister-)Loge / Entrance of the Candidate into the (Masters') Lodge / Entrée du récipiendaire en Chambre du Milieu*

I/b   Kupferstich / Copperplate / Estampe en taille douce

Bild	Print	Image	31,5 × 18 cm
Platte	Plate	Plaque	33,5 × 21 cm
Blatt	Sheet	Feuille	43,0 × 27 cm
Stecher	Engraver	Graveur	Bernigeroth

Der Serie Bild 4 / Print 4 of set / Image 4 de la série
(Bes./Colln.: Ldr.)

Der Aufzunehmende wird durch den Aufseher in die (Meister-) Loge eingeführt, hierbei ist die Degenspitze (Dolch) auf seine Brust gerichtet. Der „Thürsteher" hat nur noch einen Degen aufgerichtet, jedoch in der linken Hand. Der Groß-Meister — diesmal wieder mit Hut — wartet unter einem großen Baldachin, allerdings mit dem Hammer in der linken Hand.

Das dritte der kleinen Lichter ist der besseren Zugänglichkeit wegen wahrscheinlich nach Nordwesten gestellt worden. Die Stellung der kleinen Lichter scheint m. M. nach keine symbolische Bedeutung gehabt zu haben. Wegen der heiklen Beleuchtungsfrage für den Schmierzettel des Groß-Meisters standen eben zwei im Osten.

Auf der linken Bildseite liegen(!) mehrere Brüder mit großen Tüchern zugedeckt, „welchen der Ober-Meister die Umarmung noch nicht gegeben hat".

Bei allen Kupferstichen dieser alten Zeit fällt auf, daß immer wieder der Ausdruck „l'accolade" = die Umarmung gebraucht wird. Die Fünf Punkte standen damals wohl im Vordergrund, während sich heute der Schwerpunkt auf die Erhebung, die Wiederaufrichtung verschoben hat.

The Candidate is introduced into the (Masters') Lodge by the Warden, whilst the point of the sword (dagger) is placed on his breast. The Tyler now holds only one sword, but in his left hand. The Grand Master, now again with hat, waits under a large baldachino, with his gavel in the left hand.

The third of the Lesser Lights has been moved to the Northwest, probably for easier access. In my view, the position of the Lesser Lights appears to have had no symbolical meaning. Because of the awkward problem of providing adequate light for the Grand Master's prompt sheet, two were simply placed in the East.

At the left of the picture several Brethren are lying on the floor "who have not yet received the Grand Master's embrace".

In all etchings of this period it should be noted that the expression "l'accolade" is used time and again (=the embrace). The fPoF were probably regarded as of prime importance, whilst now (*on the Continent*-Transl.) the important part is the Raising with rather less emphasis on the fPoF.

Le surveillant introduit le récipiendaire dans la Chambre du Milieu (Loge de Maître), la pointe de l'épée (poignard) appuyée sur la poitrine. Le Couvreur ne tient plus qu'une épée dressée, et cela de la main gauche. Le Grand Maître, portant à nouveau le chapeau, attend sous un grand dais, tenant le maillet de la main gauche.

La troisième des colonnettes a été placée au nord-ouest, probablement pour une raison de commodité. A mon avis, la position des trois flambeaux n'avait pas de valeur symbolique. Il se peut que pour une raison d'éclairage de l'aide-mémoire du Vénérable, les deux autres se trouvent à l'Orient.

A l'extrême gauche, plusieurs Frères sont étendus par terre (!), recouverts d'un linge, «ceux à qui le Vénérable n'a pas encore donné l'accolade de Maître».

A remarquer que dans les documents de cette époque, le mot «accolade» revient toujours. Les Cinq Points formaient vraisemblablement l'essentiel, alors qu'aujourd'hui on met plutôt l'accent sur le relèvement.

4

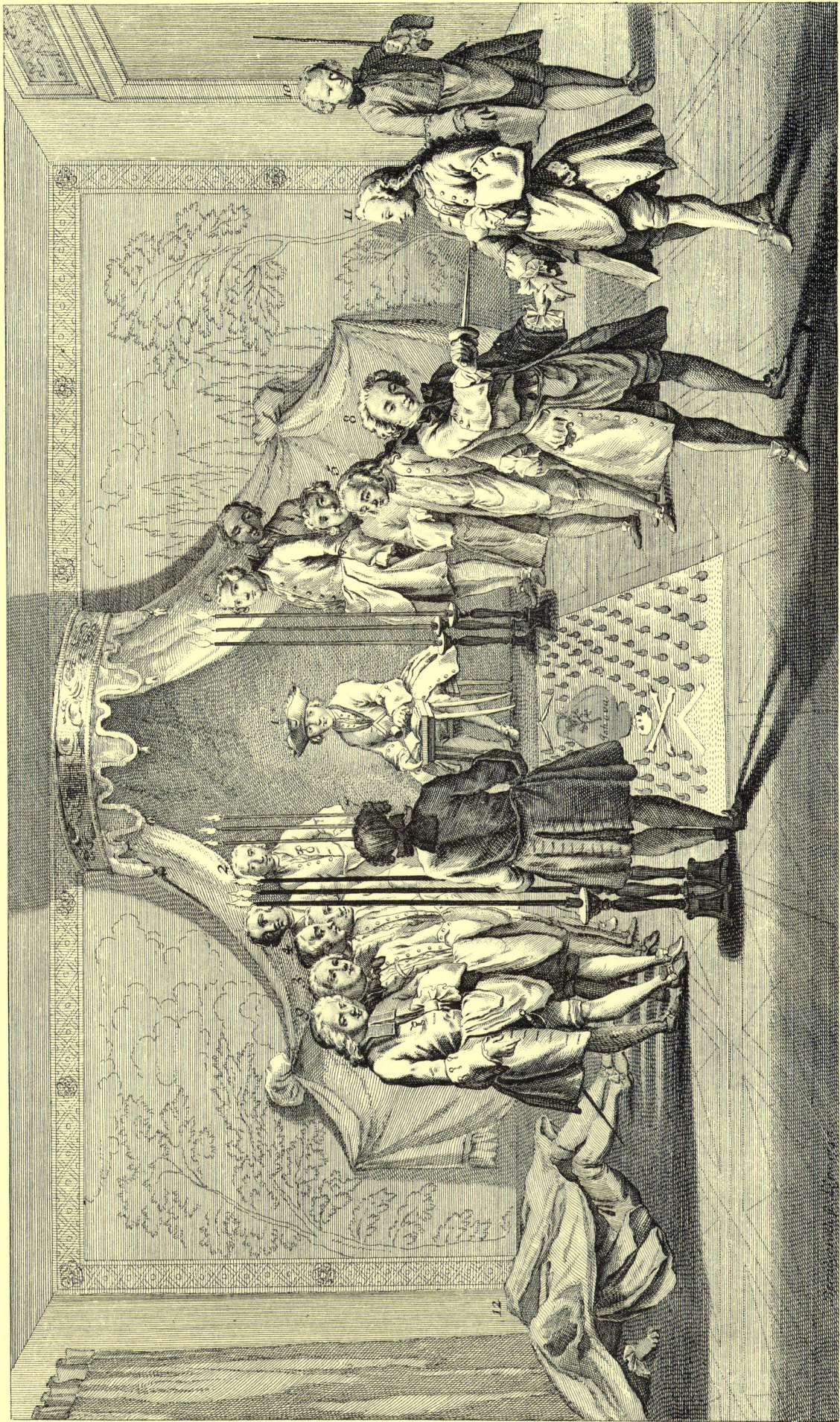

Assemblée de Francs-Maçons pour la Reception des Maitres.
Entrée du Recipiendaire dans la Loge.

Dedié au très Galant, très sincere et très veridique Frere profane Leonard Gabanon, Auteur du Catechisme des Francs-Maçons.

1. Le Grand Maitre.
2. l'Orateur.
3. le Secretaire.
4.5.6. Freres aux Rouleaux de papier.
7. le premier Surveillant.

8. le second Surveillant.
9. le Tresorier.
10. le Frere Septriolle.
11. Recipiendaire entrant dans la Loge.
12. Recipiendaire, a qui le Grand Maitre va pro mettre donne l'accolade.

12

I/b

Man legt den Aufzunehmenden auf den in der Loge gezeichneten Sarg / The Candidate is laid upon the coffin drawn in the Lodge / On couche le récipiendaire sur le cercueil dessiné dans la Loge

Kupferstich / Copperplate / Estampe en taille douce

Bild	Print	Image	31,0 × 18 cm
Platte	Plate	Plaque	33,0 × 21 cm
Blatt	Sheet	Feuille	43,5 × 27,5 cm
Stecher	Engraver	Graveur	Bernigeroth

Der Serie Bild 5 / Print 5 of set / Image 5 de la série
(Bes./Colln.: Ldr.)

Der Groß-Meister — wieder mit Hut und unter einem großen Baldachin — steht noch mit erhobenem Hammer da, während die beiden Aufseher den Aufzunehmenden auf den aufgezeichneten Sarg niederlegen. Die übrigen Brüder stehen recht zwanglos herum, der Bruder Sekretär sogar beide Hände in den Hosentaschen.

Rechts im Bilde warten „die Aufzunehmenden, denen der Obermeister die Umarmung noch nicht gegeben hat"; allerdings dürfen sie auf diesem Stich sogar auf Stühlen sitzen. Der „Thürsteher" hat jetzt wieder zwei Degen (sicher einen vom Aufseher)!

Der Ausdruck „Aufzunehmende" stammt daher, daß in alten Zeiten durch die Aufnahme in die Meisterloge, d. h. den III. Grad, der Betreffende erst als Mitglied und Bruder anerkannt war.

The Grand Master, again with hat and under a large baldachino, is still standing with raised gavel, whilst both Wardens lay the Candidate upon the representation of the coffin. The remaining Brethren stand about informally, Br. Secretary even with his hands in his pockets.

At the right wait "the Candidates to whom the Grand Master has not yet given the embrace", but in this etching they are allowed to sit on chairs. The Tyler again holds two swords! (no doubt one from one of the Wardens).

Le Grand-Maître — à nouveau coiffé de son chapeau et placé sous un grand baldaquin — tient le maillet dans sa main levée, pendant que les deux Surveillants étendent le récipiendaire sur le cercueil dessiné sur le tapis. Les autres Frères se tiennent à droite en des attitudes naturelles, le Frère Secrétaire a même ses deux mains dans ses poches.

A droite, les récipiendaires «a qui le Vénérable n'a pas encore donné l'accolade» ont, d'après cette gravure, le droit de s'asseoir sur une chaise. Le Couvreur a de nouveau deux épées! (certainement celle du Surveillant).

L'expression «récipiendaire» provient du fait que dans les temps anciens le candidat était seulement reconnu comme membre et comme Frère par l'admission en Chambre du Milieu, c'est-à-dire au troisième grade.

1. Le Grand Maitre.
2. le p.r surveillant.
3. le 2.e Surveillant.
4. Recipiendaire que l'on couche sur le Cercueil.

Bernigeroth f 1745.

5.6.7. Recipiendaires a qui le Grand Maitre n'a pas encore donné l'accolade.
8. l'Orateur.
9. le Secretaire.
10. le Tresorier.
11. le Frere Sentinelle.

Assemblée de Francs-Maçons pour la Reception des Maitres.

On couche le Recipiendaire sur le Cercueil dessiné dans la Loge.

Dedié au très Galant, très sincere et très veridique Frere profane Leonard Gabanon, Auteur du Catechisme des Francs Maçons.

13

I/b

Der Aufzunehmende liegt auf dem in der Loge gezeichneten Sarge / The Candidate lies upon the coffin drawn in the Lodge / Le récipiendaire est couché sur le cercueil dessiné dans la Loge

Kupferstich / Copperplate / Estampe en taille douce

Bild	Print	Image	31,0 × 18 cm
Platte	Plate	Plaque	32,5 × 21 cm
Blatt	Sheet	Feuille	43,5 × 27 cm
Stecher	Engraver	Graveur	Bernigeroth

Der Serie Bild 6 / Print 6 of set / Image 6 de la série
(Bes./Colln.: Ldr.)

Der Aufzunehmende liegt auf dem Sarg und ist mit einem mit Blut gefärbten leinenen Tuche bedeckt. Die Umstehenden halten ihm die Spitzen der gezogenen Degen auf den Leib. Der Groß-Meister und die beiden Aufseher haben (aus technischen Gründen!) keinen Degen!

Der Winkel des Groß-Meisters wird wieder durch Verlängerung des Bandes dargestellt, dafür ist seine Schurzklappe durch einen Winkel geschmückt. Auf seinem Tischchen liegt das Buch (Bibel) aufgeschlagen, sein Hammer ist nicht zu sehen, auch sein Stuhl ist weggeräumt, wie auch die drei kleinen Lichter.

Die Aufzunehmenden, welche auf die Umarmung warten, liegen auf diesem Bild, und zwar auf der rechten Seite. Entgegen seinem französischen Vorbild ist manches seitenverkehrt geraten.

The Candidate lies upon the drawing of the coffin and is covered with a bloodstained linen cloth. Those standing around him are holding the points of their swords to his body. The Grand Master and his two Wardens have (for technical reasons!) no swords!

The Grand Master's square is again represented by an extension of the ribbon, and the flap of his apron is adorned with a square. On his table lies the open book (Bible). His gavel cannot be seen, and his chair has been removed, also the three Lesser Lights.

The Candidates who are awaiting the embrace here lie on the right. Compared with the French original, this plate shows a number of elements reversed.

Le récipiendaire est étendu sur le cercueil, dessiné dans la Loge; il est couvert d'une toile de lin, teintée de sang. Les assistants dirigent la pointe de leur épée vers son corps. Le Grand-Maître et les Surveillants ne portent pas d'épée! (pour des raisons techniques).

L'équerre du Grand-Maître est à nouveau formée par les extrémités de son cordon, la bavette de son tablier est ornée d'une équerre. Un livre (la Bible) est ouvert sur la petite table, son maillet n'est pas apparent, son siège ainsi que les flambeaux sont enlevés.

Sur cette gravure, les récipiendaires qui attendent l'accolade sont étendus par terre, et ceci du côté droit. Contrairement à son modèle français de nombreux détails ont été intervertis.

Assemblée de Francs-Maçons pour la Reception des Maitres.

Le Recipiendaire est couché sur le Cercueil dessiné dans la Loge, le visage couvert d'un linge teint de sang,
Et tous les assistans ayant tiré l'Epée luy présentent la pointe au Corps.
Dedie au très Galant, très sincere et très veridique Frere profane Leonard Gabanon, Auteur du Catechisme des Francs-Maçons.

1. Le Grand Maitre.
2. le 1.er Surveillant.
3. le 2.e Surveillant.
4. le Recipiendaire
   couché sur le Cercueil.

5.6.7. Recipiendaires,
   aqui le Grand
   Maitre n'a pas
   encore donné
   l'accolade.

14   *Der Obermeister richtet den Aufzunehmenden wieder auf / The Grand Master raises the Candidate / Le Grand-Maître relève le récipiendaire*

I/b   Kupferstich / Copperplate / Estampe en taille douce

Bild	Print	Image	31 × 18 cm
Platte	Plate	Plaque	33 × 21 cm
Blatt	Sheet	Feuille	—
Stecher	Engraver	Graveur	Bernigeroth

Der Serie Bild 7 / Print 7 of set / Image 7 de la série
(Bes./Colln.: Oe. Wa.)

Der Groß-Meister hat gerade Fuß an Fuß und Knie an Knie gestellt. Mit dem Griff beginnt er die „Aufrichtung" und die Umarmung, um dem Aufzunehmenden dann das Meisterwort zu sagen. Das kleine Tischchen mit dem aufgeschlagenen Buch steht rechts im Bild, ebenso eins der drei kleinen Lichter.

Der Winkel des Meisters ist deutlich zu erkennen. Zum ersten Male trägt er einen Degen und Schurz, jedoch keinen Hut. Von allen Beamten ist das Abzeichen gut zu erkennen. Die Haltung der Brüder ist recht zwanglos.

Dieses Schlußbild reizt dazu, einen Blick auf den Raum selbst zu werfen. Der Baldachin für den „Grand-Maître" fehlt ganz. Die übrige Ausstattung des Raumes ist gegenüber Bild 1—6 als sehr üppig zu bezeichnen. Auch stimmt sonst fast kein Raum der einzelnen Stiche mit jenen auf den anderen überein.

The Grand Master has just placed foot to foot and knee to knee. With the grip he begins to raise and embrace the Candidate in order to communicate the Master's Word to him. The small table with the open book is at the right of the picture, also one of the three Lesser Lights.

The square of the Master can be clearly recognised. For the first time he is wearing a sword and an apron, but no hat. The jewels of all the Officers can be clearly seen. The Brethren stand about informally.

This final picture entices one to look at the room itself. The baldachino for the "Grand Master" has disappeared. The remainder of the furnishings can be described as sumptuous, by comparison with pictures 1—6 (plates 8—13). Note that the different etchings of this set hardly resemble each other as regards the room.

Le Grand-Maître est dans la position: pied contre pied, genou contre genou. C'est avec l'attouchement que débute le fait d'être relevé et l'accolade, pour enfin lui donner le Mot. La petite table portant le livre ouvert se trouve à droite de la gravure, ainsi qu'une des trois colonnettes.

L'équerre du Vénérable apparaît clairement. Pour la première fois, il porte une épée et un tablier, mais il ne porte pas de chapeau. Les bijoux de tous les officiers sont parfaitement reconnaissables. L'attitude des Frères est dégagée.

Cette dernière image nous incite à jeter un coup d'oeil au local. Le baldaquin du «Grand-Maître» a disparu; la décoration, en comparaison des images 1 à 6, peut être considérée comme riche. Les locaux des differentes gravures n'ont pratiquement aucune ressemblance entre eux.

7.

Assemblée de Francs-Maçons pour la Reception des Maitres.

Le Grand Maitre releve le Recipiendaire en luy donnant l'atouchement, l'accolade et en luy disant le mot du Maitre.
Dedié au tres Galant, tres sincere et tres veridique Frere profane Leonard Gabanon, Auteur du Catechisme des Francs-Maçons.

Brevman sculp. Paris 1745.

1. Le Grand Maitre.
2. le.ʳ Surveillant.
3. le 2.ᵈ Surveillant.
4. le Recipiendaire.

5. l'Orateur.
6. le Tresorier.
7. le Secretaire.

15 *Der Aufzunehmende legt den Eid ab / The Candidates takes the Oath / Le récipiendaire prête serment*

I/b   Kupferstich / Copperplate / Estampe en taille douce

Bild	Print	Image	6,1 × 10,9 cm
Platte	Plate	Plaque	—
Blatt	Sheet	Feuille	9,2 × 16,2 cm
Stecher	Engraver	Graveur	—

Der Serie Bild 1 aus dem Buch / Print 1 of set from the book / Image 1 de la série extraite du livre
NOUVEAU CATÉCHISME DES FRANCS-MAÇONS,
nach Wolfstieg 1749, Troisième Édition. (Bes./Colln.: FM. Bibl. Bayreuth Nr. 3226,
Bibliogr.: Wo 29 960 Kl. 1853)

Der Meister nimmt stehend die Vereidigung des Suchenden unter einem Baldachin vor. Der Aufzunehmende hat seine rechte Hand auf das Buch und den Degen (Dolch) gelegt. Den geöffneten Zirkel hat er sich selbst auf die entblößte Brust gesetzt. Das rechte nackte Knie hat er auf den Schemel gelegt, auf welchem noch der Winkel zu erkennen ist. Der Meister, hier mit Hut, hat seine linke Hand über das Buch und den Degen gelegt, seine rechte hat den Hammer erhoben. Sechs Brüder hinter dem Suchenden haben ihre erhobenen Degen gekreuzt. Erster und zweiter Aufseher tragen keine Degen, aber ihre richtigen Abzeichen. Von den drei kleinen Lichtern stehen wieder zwei im Osten, das dritte im Süd-Westen. Das Abzeichen des Sekretärs beim Abkupfern wahrscheinlich vom 9. Bild dieses Buches, in Verkennung des Sachverhaltes aus gekreuzten Schreibfedern, ist in einen Adler verwandelt worden. Hierauf hat schon Dr. Beyer (Band V, Seite 244) hingewiesen. Der Teppich ist nur flüchtig angedeutet ohne jede Beschriftung. Geändert gegenüber Bild 9 ist nur, daß der Meister nicht nur auf dem Schurz, sondern auch sichtbar am Halsband den Winkel trägt.

Durch das Hochformat ist alles etwas sehr zusammengedrängt; der kleine Schemel muß hier auf dem Teppich stehen, ebenso die beiden Aufseher und der Schatzmeister.

The Master stands under a baldachino, to administer the Obligation ("Oath") to the Candidate. The Candidate's right hand is on the book and the sword (dagger). He holds the open compasses to his bared breast. His right bared knee is on the kneeling stool, on which the square can also be seen. The Master, here with hat, is holding his left hand over book and sword, with his right he has raised the gavel. Six Brethren behind the Candidate have raised and crossed their swords. Senior and Junior Wardens carry no swords, but wear the jewels of their respective offices.

Of the Three Lesser Lights, two again stand in the East, the third in the Southwest. The Secretary's jewel has been changed probably in the process of copying from Plate 9 of this book and in mistaking the pens in saltire for an eagle. This has already been referred to by Dr. Beyer in his summary (*op. cit.,* Vol. V, p. 244). The carpet or tracing-board is only summarily indicated without inscription. The only change compared with Plate 9 is that the Master wears the square not only on his apron, but also visibly on his collar. On account of the vertical composition, everything is somewhat crowded; the kneeling-stool here stands on the carpet, as do both the Wardens and the Treasurer.

Le Vénérable, debout sous un baldaquin, reçoit le serment du récipiendaire. Celui-ci a posé la main droite sur le livre et l'épée (poignard). Il applique le compas ouvert sur sa poitrine dénudée. Son genou droit repose sur un tabouret, sur lequel on distingue encore le compas. Le Vénérable, coiffé de son chapeau, étend la main gauche au-dessus du livre et de l'épée, la main droite levée tient le maillet. Six Frères forment la voûte d'acier derrière le postulant. Les deux Surveillants portent les bijoux de leur charges, mais pas d'épée. Deux des trois colonnettes se trouvent de nouveau à l'Orient, la troisième au sud-ouest. Le bijou du secrétaire, deux plumes entrecroisés, a été transformé, vraisemblablement lors du tirage de la planche 9 de ce livre, et ceci par méconnaissance des usages, en un aigle. Le Dr. Beyer dans l'ouvrage cité, tome 5 page 244, a déjà fait cette remarque.

La tapis est à peine esquissé, et ne porte pas d'inscription. En comparaison avec l'image 9 une seule modification est à relever: le Vénérable porte une équerre non seulement sur son tablier, mais également au sautoir. En raison du format de la gravure, toute la scène est plus ramassée: le petit tabouret est placé sur le tapis, les deux Surveillants et le trésorier s'y trouvent aussi.

16 *Aufnahme zum Gesellen / Reception of a Fellowcraft / Réception d'un Compagnon*

Kupferstich / Copperplate / Estampe en taille douce

I/b			
Bild	Print	Image	6,2 × 10,9 cm
Platte	Plate	Plaque	—
Blatt	Sheet	Feuille	9,0 × 16,2 cm
Stecher	Engraver	Graveur	—

Der Serie Bild 2 aus dem Buch / Print 2 of set from the book / Image 2 de la série extraite du livre
NOUVEAU CATÉCHISME DES FRANCS-MAÇONS.
nach Wolfstieg 1749, Troisième Édition. (Bes./Colln.: FM. Bibl. Bayreuth Nr. 3226,
Bibliogr.: Wo 29 960 Kl. 1853)

Dies ist die erste mir bekannte bildliche Darstellung einer „Aufnahme" in den Gesellengrad.

Der Aufseher führt den Lehrling in die Loge. Das auffälligste Merkmal: alle Brüder bis auf den Groß-Meister haben die Klappe ihres Schurzes nach oben geknöpft. Der Meister, wieder mit Hut, steht in diesem Moment hinter seinem Tisch (Altar), der mit einer herabhängenden Decke geschmückt ist. Als Zierde ist darauf ein Winkel und ein Zirkel angebracht, dessen Schenkel sinngemäß einmal über, einmal unter dem Winkel liegen. Vor dem Tisch wieder der Schemel mit Kissen, auf dem ein Winkel liegt.

Ein Degen ist nur bei dem „Thürsteher" und Aufseher sichtbar. Als Beamte sehen wir noch den Redner und den Sekretär, dieser wieder mit einem Adler statt der gekreuzten Schreibfedern.

Der Teppich ist z. T. verdeckt. Während im vorigen Bild sieben Stufen gezeichnet sind, sieht man hier ganz deutlich nur fünf Stufen. Mit den Händen der meisten Brüder wußte der Stecher nicht viel anzufangen, sie stecken fast alle in den Hosentaschen.

This is the first pictorial representation known to me of a "Reception" in the Fellowcraft Degree (Passing).

The Junior Warden leads the Apprentice into the Lodge. The most noticeable feature is that all the Brethren, except for the Grand Master, have buttoned the flaps of their aprons upwards. The Master, again with hat, stands at this moment behind his table (altar) which is adorned with a coverlet hanging down in front.

It is decorated with square and compasses whose points are appropriately placed under and upon the respective arms of the square. In front of the table once again the kneeling-stool with a cushion, on which lies a square. Only the Tyler and Warden have swords. Other Officers who can be seen are the Orator and Secretary, the latter again with eagle instead of pens in saltire.

The carpet (tracing-board) is partly obscured. Whilst in the previous print there are seven steps, here there are clearly only five. The engraver cannot have known what to do about the hands of most of the Brethren, and almost all of them have their hands in their trouser pockets.

Cette gravure est, à ma connaissance, la première représentation d'une réception au grade de compagnon.

Le Surveillant conduit le récipiendaire dans la Loge. A remarquer que tous les Frères, le Grand-Maître excepté, portent la bavette de leur tablier boutonnée vers le haut. Le Vénérable, coiffé de son tricorne, est debout, derrière sa table (autel), recouverte d'un grand tapis débordant de tous côtés. Celui-ci est orné de l'équerre et du compas, dont les branches passent symboliquement par-dessus et par-dessous les côtés de l'équerre. Devant la table nous retrouvons le tabouret, couvert d'un coussin sur lequel repose une équerre.

Seuls le Couvreur et le Surveillant semblent porter une épée. L'orateur et le secrétaire sont les autres officiers présents. Le secrétaire porte de nouveau un aigle au sautoir à la place des deux plumes entrecroisées.

Le tapis est en partie caché. Nous y voyons très nettement cinq marches, alors que dans la gravure précédente on remarquait sept marches. Le graveur ne devait pas trop savoir que faire des mains des assistants. Ils les portent presque tous dans leurs poches.

17 *Aufnahme zum Meister / Reception as a Master / Réception d'un Maître*

I/b

Kupferstich / Copperplate / Estampe en taille douce

Bild	Print	Image	6,1 × 10,9 cm
Platte	Plate	Plaque	9,0 × 14,4 cm
Blatt	Sheet	Feuille	9,2 × 16,3 cm
Stecher	Engraver	Graveur	—

Der Serie Bild 3 aus dem Buch / Print 3 of set from the book / Image 3 de la série extraite du livre
NOUVEAU CATÉCHISME DES FRANCS-MAÇONS,
nach Wolfstieg 1749, Troisième Édition. (Bes./Colln.: FM. Bibl. Bayreuth Nr. 3226,
Bibliogr.: Wo 29 960 Kl. 1853)

Der Aufseher, deutlich mit Hammer, führt den Gesellen (mit hochgeknöpfter Klappe), während er ihm den Degen auf die Brust gesetzt hat, an der Hand in die Loge. Ein Bruder liegt schon auf dem Teppich zwischen Winkelmaß und Zirkel, bedeckt mit einem Tuch.

Im Osten auf dem Teppich ist ein von innen beleuchteter Totenkopf zu sehen. Bis auf den „Ehrwürdigen" (Text: Vénérable) scheinen alle Brüder den Degen gezogen zu haben. Im Süden ist deutlich der Schatzmeister zu erkennen. Der Schurz wird von allen mit herunterhängender Klappe getragen. Von den drei kleinen Lichtern mit je 3 Kerzen stehen wieder zwei im Osten und eines im Südwesten.

Der Ehrwürdige trägt einen Dreispitz. Sein Platz im Osten ist mit einem großen Baldachin geschmückt. Auf dem Teppich wieder die Tränen und gekreuzte Knochen. Rätselhaft ist der runde Punkt am Degen des „Thürstehers".

The Warden, clearly shown with gavel, leads the Fellowcraft by the hand into the Lodge, his sword held to his breast. The Candidate's flap is buttoned upwards. A Brother is already lying on the carpet, between square and compasses, and is covered with a cloth.

On the carpet in the East can be seen a skull, illuminated from within. Except for the "Worshipful Master" (text "Vénérable") all the Brethren appear to have drawn their swords. The Treasurer can be clearly distinguished in the South. All wear their aprons with the flap down. Two of the Lesser Lights, each with three candles, are again placed in the East, and the third in the Southwest.

The Worshipful Master is wearing a tricorn. His place in the East is embellished with a great baldachino. On the carpet once again the tears and cross-bones. The round point on the Tyler's sword is something of an enigma.

Le Surveillant au maillet apparent, conduit par la main le compagnon dont la bavette du tablier est relevée; il dirige en même temps la pointe de son épée vers la poitrine du postulant. Un Frère, couvert d'un drap, est déjà étendu sur le tapis, entre l'équerre et le compas.

A l'Orient, sur le tapis, nous voyons un crâne, illuminé de l'intérieur. Le «Vénérable» excepté, tous les Frères semblent avoir tiré l'épée. Au sud, on reconnaît aisément le trésorier. Tous les tabliers ont la bavette rabattue. Des flambeaux à 3 étoiles, nous en trouvons deux à l'Orient, le troisième au sud-ouest.

Le Vénérable porte une tricorne. Son siège à l'Orient est surmonté d'un grand baldaquin. Le tapis est à nouveau orné de larmes et de tibias entrecroisés. Le point rond de l'épée du Surveillant reste une énigme.

18 *Erste Aufnahme / First Reception (1°) / Première récéption*

Kupferstich / Copperplate / Estampe en taille douce

I/c

Bild	Print	Image	9,0 cm
Platte	Plate	Plaque	14,2 cm
Blatt	Sheet	Feuille	—
Stecher	Engraver	Graveur	—

Der Serie Bild 1 aus dem Buch / Print 1 of set from the book / 1ère image de la série extraite du livre ÉTRENNES (Jahresgaben) AUX FRANCS-MAÇONS, OU NOUVEAU CATÉCHISME. POUR L. V. E. D. A L'ORIENT
Paris 1785. (Bes./Colln.: Fürstl. Oe. Wa. IV, 26, 8°, 91)

Über 40 Jahre liegen zwischen dieser Serie von Stichen und den vorangegangenen drei Serien dieses Buches. Im Äußeren hat sich sehr viel geändert — im Prinzip nichts. Joseph Rullier soll im Alter von 110 Jahren aufgenommen werden! Die Aufnahme findet in einem prunkvollen Saal statt. Der große Baldachin wie auch der Hut des sitzenden Meisters der Loge sind prächtig mit Straußenfedern geschmückt. Vor ihm ein leerer Tisch, der aber sehr schön drapiert ist. Der Osten ist jetzt um zwei Stufen erhöht!

Zum ersten Male sitzen im Osten auch zwei weitere Brüder. Außerdem stehen noch drei Brüder im Osten: also im Osten so viele Brüder wie in der Kolonne!

Von den drei kleinen Lichtern steht nur eines im Süd-Osten, während sich zwei im Westen befinden. Zu beachten ist die eine kleine Säule für den Aufseher. Der Türsteher ist der Einzige mit gezogenem Degen.

Im übrigen zeigt das Bild folgenden Moment: der Aufseher führt den Aufzunehmenden mit verbundenen Augen und entblößter Brust an der Hand in die Loge. Auf der anderen Seite ein Kind (?). Das runde Bild ist von verschiedenen maurerischen Symbolen umgeben sowie der Inschrift: „in der Arbeit die wahre Freude".

More than forty years separate this set from the previous three series in this book. Outwardly, much has changed, but the principles remain the same. They state that Joseph Rullier is to be initiated at 110 years of age! The initiation takes place in a splendid room. The great baldachino is splendidly decorated with ostrich plumes, also the hat of the seated Master. In front of him an empty table, which is however covered with a very beautiful drape. The East is now raised on two steps!

For the first time two other Brethren are seated in the East, and three more are seen standing there; as many Brethren in the East as on the columns!

Only one of the three Lesser Lights in the Southeast, the other two in the West. Note the small column (pedestal) for the Warden. Only the Tyler carries a drawn sword.

The picture shows the Warden leading the Candidate by the hand into the Lodge. The Candidate is hoodwinked and his left breast is bared. At his left a child(?). The circular picture is surrounded by a number of masonic symbols and the motto: "In labour (lies) true joy".

Plus de 40 ans séparent cette série des trois précédentes séries de ce livre. Extérieurement beaucoup de choses ont changé, mais les principes restent les mêmes. Joseph Rullier doit être initié, alors qu'il est âgé de 110 ans! La réception se fait dans une salle fastueuse. Les statues dans les niches ne semblent avoir aucun rapport avec la Loge. Le baldaquin, ainsi que le chapeau du Vénérable sont somptueusement ornés de plumes d'autruche. La table derrière laquelle il est assis est vide, mais drapée avec art. L'Orient est surélevé par deux marches.

Pour la première fois, deux autres Frères sont assis à l'Orient, et trois autres Frères s'y tiennent debout. Il y a donc autant de Frères à l'Orient que sur les colonnes.

Une seule des trois colonnettes se trouve au sud-est, les deux autres sont à l'ouest. A remarquer la petite colonne du Surveillant. Seul le Couvreur a tiré l'épée.

La gravure représente le moment où le Surveillant conduit le postulant par la main, dans la Loge: ce dernier a les yeux bandés et la poitrine dénudée. Au côté opposé on voit un enfant(?). La gravure est entourée de différents symboles maçonniques et de l'inscription: «Le travail procure la vraie joie».

in labore vera voluptas.

1ère Reception maçonique de Joseph RULLIER âgé de cent dix
ans n'ayant jamais été Saigné, ni purgé lit et écrit sans
lunettes, son frère a cent sept ans, son pere est mort
âgé de cent vingt-trois ans dix mois pour lui
parler on le trouve chez son gendre
passage des Jacobins de la r. S.t Jaque
qui vend son portrait

19

Zweite Aufnahme / Second Reception (2°) / Deuxième réception.

I/c

Kupferstich / Copperplate / Estampe en taille douce

Bild	Print	Image	8,8 cm
Platte	Plate	Plaque	14,2 cm
Blatt	Sheet	Feuille	—
Stecher	Engraver	Graveur	—

Der Serie Bild 2 aus dem Buch / Print 2 of set from the book / 2ème image de la série extraite du livre
ÉTRENNES (Jahresgaben) AUX FRANCS-MAÇONS, OU NOUVEAU CATÉCHISME. POUR L. V. E. D. A L'ORIENT
Paris 1785. (Bes./Colln.: Fürstl. Oe. Wa. IV, 26, 8°, 91)

Der Raum und seine Ausstattung sind gegenüber dem vorigen Bild fast gleich. Auf dem Teppich sind die sieben Stufen deutlich zu erkennen. Auf dem Tisch liegt jetzt das Buch. Der Meister der Loge, in gleicher phantasievoller Aufmachung wie vorher, hat auch hier den Hammer in der linken Hand. Neben ihm im Osten sitzen wiederum zwei Brüder ohne Hut, aber alle drei mit Schulterband von links nach rechts.

Die drei stehenden Brüder im Osten des vorigen Bildes nehmen an dieser Aufnahme in II nicht mehr teil. Undeutlich ist auf dem einen Schurz im Norden vielleicht ein Winkel oder Zirkel zu erkennen. Der eine Aufseher mit Hammer steht vor seiner kleinen Säule im Süd-Westen.

Der Aufseher(?), ohne erkennbares Abzeichen außer seinem Schurz, führt den Aufzunehmenden am Arm in die Loge.

Beherrscht wird dieses Bild durch den großen flammenden Stern mit einem großen „G", das hier in Frankreich wohl nur mit Geometrie gedeutet werden kann. Sonst sind im schmückenden Rand verschiedene Symbole und der Spruch: „Über allem (steht) die Tugend und die Ehre".

The room and its furnishings are practically the same as in the previous plate. The seven steps can be clearly recognised on the carpet. Now there is a book on the table. The Master of the Lodge in the same fanciful dress as before, here again with gavel in the left hand. Next to him in the East again sit two Brethren, without hats, but all three with sash over the left shoulder to the right side.

The three standing Brethren in the East of the previous print no longer take part in this Second Degree.
On one of the aprons in the North indistinctly perhaps a square or compasses. One of the Wardens with gavel stands behind his small column in the Southwest.

A Warden(?), without distinguishing emblem except for his apron, leads the Candidate by the arm into the Lodge.

This picture is dominated by the great blazing star with a large "G" probably interpreted here in France by "Geometry". Further, in the ornamental margin, various symbols and the motto: "Above all (stand) Virtue and Honour".

La salle et sa décoration sont presque semblables à celle de la gravure précédente. Sur le tapis on distingue nettement les sept marches. Le livre est maintenant sur la table. Le Vénérable portant le même costume de fantaisie que précédemment, tient un maillet dans la main gauche. Deux Frères, tête nue, sont assis à côté de lui à l'Orient; tous les trois portent le sautoir de gauche vers la droite.

Les trois Frères, qui, dans la gravure précédente se tenaient à l'Orient, n'assistent plus à cette réception au 2ème degré.

Au nord, on peut reconnaître vaguement une équerre ou un compas sur un des tabliers. Un des Surveillants, son maillet à la main, est au sud-ouest devant sa petite colonne.

Le Surveillant(?) qui ne porte aucun bijou distinctif, à l'exception de son tablier, conduit le récipiendaire par le bras dans la Loge.

Cette gravure est dominée par la grande étoile flamboyante avec un G, qui, en France, ne peut se traduire que par géométrie. Le bord circulaire est orné de divers symboles maçonniques et de la sentence: «Vertu et honneur dominent tout».

Super omnia virtus et honor

Deuxieme Reception.

20

Dritte Aufnahme / Third Reception (3°) / Troisième réception

Kupferstich / Copperplate / Estampe en taille douce

I/c

Bild	Print	Image	8,8 cm
Platte	Plate	Plaque	14,4 cm
Blatt	Sheet	Feuille	—
Stecher	Engraver	Graveur	—

Der Serie Bild 3 aus dem Buch / Print 3 of set from the book / 3éme image de la série extraite du livre
ÉTRENNES (Jahresgaben) AUX FRANCS-MAÇONS, OU NOUVEAU CATECHISME. POUR L. V. E. D. A L'ORIENT
Paris 1785. (Bes./Colln.: Fürst. Oe. Wa. IV. 26, 8°, 91)

Diese dritte Aufnahme findet in einem anderen Raume statt. Die Wände sind schwarz verkleidet. Der Baldachin im Osten bedeckt die ganze Breite der Wand. Der Obermeister wieder mit einem durch Straußenfedern reich verzierten Hut. In dieser Meister-Loge sitzt wenigstens kein Bruder im Osten neben dem Obermeister.

Der aufzunehmende Rullier wird vom Aufseher hereingeführt, den Degen hat er auf Rulliers Brust gesetzt. Wieder liegt schon ein Bruder auf dem Teppich, zugedeckt mit einem Tuch. Im Westen Winkelmaß und gekreuzte Knochen, der Zirkel im Osten fehlt. Alle Brüder im Norden und Süden haben die Spitzen ihrer Degen auf den Niedergestreckten gerichtet.

Rechts im Bild der „Thürsteher" mit aufgerichtetem Degen. Dieser Stich könnte die Vermutung aufkommen lassen (wie schon in Bild 17), daß die Hiramslegende erzählt wird, am Beispiel eines auf dem Teppich Liegenden.

Dieses runde Bild wird geschmückt von einem Kranz, darüber mehrere Symbole, unter anderem ein Akazienzweig. Überstrahlt wird alles in der Mitte von einem Dreieck, wieder mit einem „G". Der Spruch lautet: „Nach dem Tode wird er auferstehen".

The Third Degree takes place in another room. The walls are covered in black. The baldachino in the East takes up the whole width of the wall. The Grand Master again with a hat richly ornamented with ostrich plumes. In this MM Lodge at least no Brother sits in the East other than the Master.

The Candidate (Rullier) is led in by a Warden who has placed the sword against his breast.

Again, another Brother already lying on the carpet, covered with a cloth. In the West a square and cross-bones, but the compasses are missing in the East. All the Brethren in the North and South point their swords towards the Brother lying on the floor.

At the right the Tyler with sword at the carry. This print might give rise to the assumption (as in Pl. 17) that the Hiramic Legend is transmitted to the Candidate by the example of the Brother lying on the carpet.

This circular picture is enclosed by a wreath, crowned with a number of symbols including a branch of acacia. The whole is surmounted by a central triangle with a glory and again containing the letter "G". The motto reads: "After death he shall rise again".

Cette troisième réception se fait dans une autre salle. Les murs sont tendus de noir. Le baldaquin couvre tout le mur à l'Orient. Le Vénérable porte de nouveau un chapeau richement garni de plumes d'autruche. Dans cette Chambre du Milieu, pas de Frère à l'Orient, en dehors du Vénérable.

Le Surveillant introduit le récipiendaire Rullier, son épée dirigée vers la poitrine de celui-ci.

A nouveau, un Frère recouvert d'une toile est couché sur le tapis. A l'ouest équerre et tibias croisés, par contre le compas manque à l'Orient. Tous les Frères sur les colonnes du Nord et du Sud dirigent la pointe de leur épée vers le Frère étendu par terre.

A droite de l'image, nous voyons le Couvreur présentant son épée. Cette gravure, comme l'image 17, pourrait laisser entendre que la légende d'Hiram est évoquée en fonction du Frère étendu sur le tapis.

L'encadrement de cette image ronde est constitué par une couronne au-dessus de laquelle figurent plusieurs symboles, dont une branche d'acacia. Le tout est frappé à la verticale d'un triangle rayonnant, dans lequel est inscrit à nouveau la lettre G. La légende dit: «Il ressuscitera après la mort».

post mortem resurrexit,

Troisieme Reception

from 'The Royal Art Illustrated' E. J. Lindres, (1976) (for FREEMASONRY) pl. 70

21 Aufnahme in einer Wiener Loge / Reception in a Viennese Lodge / Réception dans une Loge à l'Orient de Vienne

I/c

Ölgemälde / Oilpainting / Peinture à l'huile

Bild	Picture	Image	100 × 80 cm
Maler	Painter	Peintre	—

(Bes./Colln.: Kunsthistorisches Museum, Wien)

Über dieses einzigartige Gemälde hat Otto Erich Deutsch unter Mitwirkung von Dr. Bernhard Beyer, Bayreuth, in seinem Aufsatz „Innenansicht einer Wiener Freimaurer-Loge" in dem Heft 5, Wiener Schriften, Verlag für Jugend und Volk, Wien 1957, eine ausführliche Beschreibung auf Seite 96—102 gegeben. Ein Auszug kann in meinem Buch „Freimaurerisches Brauchtum in Bildern 1730—1840" Quatuor Coronati, Bayreuth, 1969 nachgelesen werden.

Das Gemälde zeigt einen Vorgang während der Aufnahme eines Suchenden, wahrscheinlich um die Zeit von 1786.

Die Aufnahme neigt sich dem Ende zu. Der Schurz scheint dem Suchenden schon umgebunden zu sein. Das Abzeichen der Loge ist ihm schon umgehängt, auch den Hut hat er wieder empfangen. Die Augenbinde muß gleich fallen. Interessant ist, daß alle Brüder als Abzeichen den Winkel tragen: einige am blauen, andere am roten Band. Es scheinen also zwei Logen zu arbeiten.

Aus Platzmangel bitte ich weitere Einzelheiten in der angegebenen Literatur nachzulesen.

In his essay about this singular painting, "Innenansicht einer Wiener Freimaurer-Loge" (Interior of a Viennese Masonic Lodge), Otto Erich Deutsch, in collaboration with Dr. Bernhard Beyer, Bayreuth, has given a detailed description on pp. 96—102 in vol. 5, Wiener Schriften, Verlag für Jugend und Volk, Vienna 1957. An extract from this is given in my book 'Freimaurerisches Brauchtum in Bildern 1730—1840' (Masonic Usage Illustrated 1730—1840), Quatuor Coronati, Bayreuth 1969.

The picture shows part of an Initiation. The period is probably about 1786.

The Ceremony is nearing its end. The Candidate has apparently been invested with his apron, he now wears the Lodge jewel and his hat has been returned to him. Shortly the hoodwink will be removed. It is of interest that all the Brethren are wearing the square, some on a red ribbon, others on a blue ribbon. Thus, it seems that two Lodges are at labour.

Space does not permit of more detailed notes (but refer to *op. cit.*).

Une description minutieuse de cette peinture a été faite par Otto Erich Deutsch, assisté du Dr. Bernhard Beyer, Bayreuth, dans son article «Intérieur d'une Loge maçonnique viennoise» — dans le cahier no. 5 des «Wiener Schriften» (Documents Viennois) page 96—102. Un extrait se trouve dans mon livre «Freimaure- risches Brauchtum in Bildern 1730—1840» (Usages maçonniques en images 1730—1840), Quatuor Coronati, Bayreuth, 1969.

Le tableau représente une scène de la réception d'un profane, aux environs de 1786.

La réception touche à sa fin. Il semble que le profane a déjà été ceint du tablier. Le bijou de la Loge lui a été remis et il a également récupéré son chapeau. Le bandeau est sur le point de tomber. Il est intéressant à remarquer que tous les Frères portent l'équerre comme bijou, les uns avec un ruban bleu, les autres avec un ruban rouge. Il semblerait donc que deux Loges travaillent ensemble.

Par manque de place je me permets de renvoyer, pour d'autres détails, à la littérature indiquée précédemment.

22 *Aufnahme eines Lehrlings / Reception as an Apprentice / Réception d'un Apprenti*

Stahlstich / Steel-engraving / Gravure sur acier

I/c	Bild	Print	Image	17,5 × 10,5 cm
	Platte	Plate	Plaque	—
	Blatt	Sheet	Feuille	26,0 × 16,0 cm

Seigneurgens del. Monnin sculpt.

Der Serie Bild 1 (Pl. 2) aus dem Buch / Print 1 (Pl. 2) of set from the book / Image 1 (Pl. 2) du livre
HISTOIRE PITTORESQUE DE LA FRANC-MAÇONNERIE ET DES SOCIÉTÉS SECRETES
ANCIENNES ET MODERNES; PAR F. T. B. CLAVEL
Paris Pagnerre, Editeur, 1843 (Bes./Colln.: Ldr., Bibliogr.: Wo 3813 Kl. 2875)

Fast hundert Jahre sind vergangen seit unserem 5. Bild „Aufnahme als Lehrling" um 1745 und dieser Serie aus dem Buch von Clavel, entstanden um 1840. „Er war schon 1824 Ehrenmeister der Loge Emeth (unter dem Suprême Conseil) in Paris." (Nach Lenning, „Allgemeines Handbuch der Freimaurerei", 3. Aufl. 1901). So ist anzunehmen, daß dieser Stich Gebräuche zeigt, die vom damaligen schottischen Ritus beeinflußt sind.

Alle Brüder tragen ein Schulterband von rechts nach links und einen Schurz — Klappe nach unten —, verziert mit Winkel und Zirkel. Die Brüder, auch der Großmeister (siehe Text), sind ohne Hut. Auffällig ist das geflammte Schwert, welches auf den Aufzunehmenden gerichtet ist. Gleichzeitig sehen wir das Schreckmoment. Hinter ihm steht schon der Bruder, um die Binde zu lösen. Einem Bericht nach ist es heute noch in Frankreich üblich, Teppich und die drei kleinen Lichter während dieser Handlung wegzuräumen.

Interessant an diesem Stich bleibt der Brauch, daß die erhöhte Balustrade zwar mit einem Baldachin geschmückt ist, auch der Tisch vor dem Groß-Meister mit einer Decke verziert ist, die auch Winkel und Zirkel zeigt, daß jedoch keine Kerze, kein Buch, kein Stuhl mit Brüdern im Osten zu sehen ist.

Nearly a hundred years have passed since our Plate 5 "Initiation of an Apprentice" about 1745 and this set from Clavel's book which was produced about 1840. "He was Honorary Master of Emeth Lodge (under the Supreme Council A & ASR) in Paris 1824", according to Lenning's "Allgemeines Handbuch der Freimaurerei" (General Handbook of Freemasonry) 3rd Edn. 1901. Thus it may be assumed that these engravings show customs influenced by the Scottish Rite of the period.

All the Brethren wear a sash from the right to left, and an apron — flap down — decorated with square and compasses. The Brethren including the Grand Master *(sic)* are hatless. Note the flamboyant sword pointed at the Candidate. The Initiate is about to undergo the "trial by fire". Behind him another Brother is ready to remove the hoodwink. According to a communication it is still now customary in France to remove the Lodge carpet and the three Lesser Lights during this part of the ceremony.

Of interest in this engraving is the custom of decorating the raised podium with a balustrade and baldachino, and the table in front of the Grand Master is embellished with a coverlet showing square and compasses, but there is no candle, no book, and no Brethren are seen in the East.

Près de cent ans séparent cette gravure extraite de l'ouvrage de Clavel publié en 1840 et notre gravure 5; «Réception d'un apprenti» — datant environ de 1745. — «Il était Vénérable d'honneur dès 1824 de la Loge Emeth (dépendant du Suprême Conseil) á Paris.» (D'après Lenning: «Allgemeines Handbuch der Freimaurerei»3ème édition, 1901). — On peut supposer que cette série de gravures montrent des rites influencés par le rite écossais de cette époque.

Tous les Frères portent un sautoir de droite à gauche et un tablier, à la bavette rabattue, orné de l'équerre et du compas. Tous les Frères, Vénérable compris, sont tête nue. A remarquer l'épée flamboyante dirigée vers le récipiendaire. Nous sommes à l'épreuve du 3ème voyage. Derrière lui nous voyons le Frère qui va lui ôter le bandeau. Aujourd'hui encore, d'après certains renseignements, il est d'usage en France d'ôter le tapis et les trois étoiles durant cette cérémonie.

Il est intéressant de voir qu'il y a toujours l'estrade surmontée d'un baldaquin, la table du Vénérable couverte d'une draperie ornée de l'équerre et du compas, mais qu'il n'y a ni étoile, ni livre, et qu'on ne voit aucun Frère à l'Orient.

23 *Aufnahme zum Meister / Reception as a Master Mason / Réception d'un Maître*

I/c

Stahlstich / Steel-engraving / Gravure sur acier

Bild	Print	Image	15,4 × 10,4 cm
Platte	Plate	Plaque	—
Blatt	Sheet	Feuille	26,0 × 16,0 cm

Seigneurgens del. Monnin sculpt.

Der Serie Bild 2 (Pl. 5) aus dem Buch / Print 2 of set (Pl. 5) from the book / Image 2, (Pl. 5) extrait du livre
HISTOIRE PITTORESQUE DE LA FRANC-MAÇONNERIE ET DES SOCIÉTÉS SECRÈTES ET MODERNES; PAR F. T. B. CLAVEL
Paris. Pagnerre, Éditeur, 1843 (Bes./Colln.: Ldr., Bibliogr.: Wo 3813 Kl 2875)

Die einfache Ausstattung des Raumes entspricht dem Ernst der Handlung. Ein schwarzer Teppich — ein Totenschädel — gekreuzte Knochen.

Auf der Balustrade unter dem Baldachin steht wieder ein verkleideter Tisch, jetzt aber durch sieben Stufen erhöht. Auf dem Tisch liegt ein Totenschädel, dahinter befindet sich ein sehr starkes Licht, sodaß die Öffnungen fast wie Scheinwerfer das Gesicht des Aufzunehmenden beleuchten.

Soeben hat der Ehrwürdige mit seinem Hammer den Bruder niedergestreckt. Die Bekleidung ist sehr interessant und recht verschieden. Der Ehrwürdige (im Text „le vénérable" oder „très respectable") trägt hier ein breites, langes Halsband mit einem runden Abzeichen und einen Schurz ohne jeden Schmuck. Auf der Balustrade in Höhe der drei Stufen steht ein Bruder ohne Schurz, jedoch mit einem Schulterband von links nach rechts. Auch alle Brüder im Süden tragen das Schulterband in der gleichen Form. Nur die drei Beamten, einmal am kleinen Tisch im Nordosten, und die beiden Brüder auf dem Teppich tragen das Schulterband von rechts nach links.

Die Wand im Süden ist mit schwarzem Stoff drapiert, und drei Totenschädel mit je zwei Knochen sind dort zu sehen. Degen sind auf dem Bild nicht sichtbar.

The simple furnishings correspond with the seriousness of the action. A black carpet, a skull and cross-bones.

On the balustraded podium under the baldachino again a covered table, but now raised on seven steps. On the table lies a skull, behind it a strong light so that its apertures throw the light almost like a beacon upon the face of the Candidate. The Worshipful Master has just struck down the Candidate with his gavel. The dress is most interesting and rather varied. The Master (text: "le vénérable" or "très respectable") here wears a long broad collar with a round jewel and an apron without any ornament.

On the third step of the podium a Brother without apron, but with a sash from left to right. All the Brethren in the South also similarly wear sashes. Only the three Officebearers, one at the small table in the Northeast and the other two on the carpet, wear their sashes over the right shoulder to the left side.

The South wall is draped with black cloth with a design of three skulls, each with a pair of cross-bones.

No swords can be seen in this representation.

La décoration sobre de la salle correspond au sérieux de la cérémonie: un tapis noir — un crâne — deux tibias croisés.

Sur l'estrade, haute de sept marches, cette fois-ci, la table est couverte d'une draperie. Sur la table un crâne, illuminé par derrière par une forte lumière, qui à travers les ouvertures, semble un phare dirigé vers le visage du récipiendaire.

Le Vénérable vient d'étendre le Frère par terre, avec son maillet. Les décors sont très intéressants et très variés. Le Vénérable (dit le texte ou le «très respectable») porte un cordon très large supportant un bijou rond, ainsi qu'un tablier sans ornements. Sur l'estrade, sur la troisième marche, se tient un Frère sans tablier, mais avec un sautoir de gauche à droite. Tous les Frères au sud portent le sautoir de la même façon. L'officier près de la petite table au nord-est et les deux Frères placés sur le tapis portent le sautoir de droite à gauche.

Le mur au sud est recouvert d'une tenture noire, ornée de trois crânes, surmontant deux tibias croisés.

On ne voit pas d'épée sur cette gravure.

24

I/d

Abriß der Loge bey der Aufnahme eines Lehrlings oder Gesellen (unrichtig) / Plan of the Lodge for the Reception of an Apprentice or Fellowcraft (incorrect) / Plan de la Loge pour la réception d'un apprenti ou d'un Compagnon (inexact)

Kupferstich / Copperplate / Estampe en taille douce

Bild	Print	Image	10,0 × 15,0 cm
Platte	Plate	Plaque	12,4 × 18,2 cm
Blatt	Sheet	Feuille	13,6 × 27,0 cm
Stecher	Engraver	Graveur	S. Focke (?)

Aus dem Buch / From the book / Extrait du livre
L'ORDRE DES FRANCS-MAÇONS TRAHI, ET LE SECRET DES MOPSES RÉVÉLÉ.
Amsterdam 1745, Jean Neaulme, 1. Ausg. (Bes./Colln.: Ldr., Bibliogr.: Wo 29 963 Kl 1860)

In dieser Verräterschrift ist jedesmal dieser unrichtige und ein ‚wahrhaftiger' Abriß der Loge angegeben. Abriß bedeutet hier die Wiedergabe des Teppichs und der Anordnung in der Loge selbst.

Heute will mir der sogenannte ‚wahrhaftige' Teppich mit seiner Häufung von Symbolen bald als eine bewußte Irreführung erscheinen.

Die französische Erklärung ist dem Original entnommen, die deutsche Übersetzung dem Buche „Der verrathene Orden der Freymäurer, Und das offenbarte Geheimniß der Mopsgesellschaft", welches noch im gleichen Jahre 1745 in Frankfurt und Leipzig, wahrscheinlich bei Michael Blochberger, erschien.

In these "Exposures" there is in each case an "incorrect" and a "true" plan of the Lodge. "Plan" here means the representation of the carpet/ tracing-board and of the arrangement of the Lodge itself.

The so-called "true" carpet is now increasingly being regarded as an intentional attempt to mislead with its mass of symbols.

The French explanation is taken from the original, the German translation from the book "Der verrathene Orden der Freymäurer, Und das offenbarte Geheimniß der Mopsgesellschaft" (The Freemasons' Order betrayed, and the Secret of the Society of Mopses revealed) which appeared the same year 1745 in Frankfurt and Leipzig, probably at Michael Blochberger's (Kl 1863 Wo Colln Ldr).

Dans cet ouvrage de trahison, on donne chaque fois un plan «inexact», et un plan «véritable» de la Loge. Plan signifie ici reproduction de tapis et de l'arrangement de la Loge.

Il me semble, aujourd'hui, que le plan «véritable» est sciemment un faux en raison de la profusion des symboles.

La version française provient de l'ouvrage original, alors que la traduction allemande provient de l'ouvrage «Der verrathene Orden der Freymäurer, Und das offenbarte Geheimniß der Mopsgesellschaft», qui fut probablement publié la même année 1745 chez Michael Blochberger à Francfort et Leipzig.

Pl. I.

Fidelitas moribus unita.

PLAN DE LA LOGE
POUR LA RECEPTION D'UN APPRENTIF-COMPAGNON,

Tel qu'il a été publié à Paris, mais inexact.

1. Colonne Jakin.
2. Colonne Boaz.
3. Les 7 marches pour monter au Temple.
4. Pavé Mosaïque.
5. Fenêtre d'Occident.
6. Planche à tracer, pour les Maitres.
7. Etoile flamboyante.
8. Fenêtre du Midi.
9. Perpendiculaire, ou Aplomb.
10. Fenêtre d'Orient.
11. Niveau.
12. Pierre brute.
13. Equerre.
14. Pierre cubique à pointe.
15. Houpe dentelée.
A. Place du Grand-Maitre.
B. Place du premier Surveillant.
C. Place du second Surveillant.
D. Autel.
E. Tabouret.
F. G. H. Les trois Lumières.

I.
Abriß der Loge
bey der Aufnahme eines Lehrlings oder Gesellen.

Wie er zu Paris, aber unrichtig, ans Licht gekommen.

1 Die Säule Jakin.
2 Die Säule Boaz.
3 Die sieben Stuffen zum Tempel.
4 Das Mosaische Estrich.
5 Das Fenster gegen Westen.
6 Das Reißbret für die Meister.
7 Der strahlende Stern.
8 Das Fenster gegen Süden.
9 Das Senkbley.
10 Das Fenster gegen Osten.
11 Die Wasserwaage.
12 Der rohe Stein.
13 Das Winkelmaas.
14 Der cubische zugespitzte Stein.
15 Die zackichte Quaste.
A Die Stelle des Großmeisters.
B Die Stelle des ersten Vorstehers.
C Die Stelle des zweiten Vorstehers.
D Der Altar.
E Der Schemmel.
F G H Die drey Lichter.

„*Wahrhaffter*" *Abriß der Loge bey der Aufnahme eines Lehrlings oder Gesellen* / *'True' Plan of the Lodge for the Reception of an Apprentice or Fellowcraft* / «*Véritable*» *plan de la Loge pour la réception d'un Apprenti ou d'un Compagnon*

Kupferstich / Copperplate / Estampe en taille douce

Bild	Print	Image	13,0 × 23,0 cm
Platte	Plate	Plaque	14,? × 23,6 cm
Blatt	Sheet	Feuille	14,5 × 33,3 cm
Stecher	Engraver	Graveur	—

Aus dem Buch / From the book / Extrait du livre
L'ORDRE DES FRANCS-MAÇONS TRAHI, ET LE SECRET DES MOPSES RÉVÉLÉ.
Amsterdam 1745. Jean Neaulme, 1. Ausg. (Bes./Colln.: Ldr., Bibliogr.: Wo 29 963 Kl. 1860)

Vergleiche diesen „wahrhaftigen" Abriß resp. Teppich gegenüber dem sogenannten ‚unrichtigen'. Das 24. Bild scheint in seiner Einfachheit den heutigen Teppichen ähnlicher zu sein. Interessant ist nur, daß in beiden Teppichen im Vereinigungsband das Unendlichkeitszeichen zweimal gezeigt wird.

Der deutsche Text der Erläuterung ist wie im 24. Bild der alten deutschen Übersetzung von 1745 entnommen.

Compare this 'true' or 'veritable' Plan or tracing board, with the so-called 'inexact' one (*cf.* Pl. 24). The preceding Plan seems in its simplicity to be nearer those of today. A sole point of interest is that both carpets have the sign of infinity *twice* in the "cord of union".

The German text is taken from the old German translation of 1745, as for plate 24.

Ce plan, ou plutôt ce tapis «véritable», comparé au «faux» précédent (image 24) apparaît, dans sa simplicité, plus proche des tapis actuels. Il est intéressant de remarquer, que sur les deux tapis, dans les lacs d'amour, le signe de l'éternité est représenté deux fois.

Le commentaire allemand est, comme pour l'image 24, pris de l'ancienne traduction allemande de 1745.

VERITABLE PLAN

DE LA LOGE DE RECEPTION

D'UN APPRENTIF-COMPAGNON.

1. La Colonne Jakin.
2. La Colonne Boaz.
3. Les 7 marches pour monter au Temple.
4. Le Pavé Mosaïque.
5. Porte d'Occident.
6. Le Marteau.
7. L'Equerre.
8. La Planche à tracer.
9. Fenêtre d'Occident.
10. Le Niveau.
11. La Ligne perpendiculaire, le Plomb, ou l'Aplomb.
12. Portail de la Chambre intérieure.
13. La Pierre cubique taillée en pointe.
14. Fenêtre du Midi.
15. Porte du Midi.
16. La Sphère.
17. La Pierre brute.
18. La Truelle.
19. L'Etoile flamboyante.
20. Fenêtre d'Orient.
21. Le Soleil.
22. La Lune.
23. Le Compas.
24. La Houpe dentelée.
25. Porte d'Orient.
26. 26. 26. Les trois Lumières.
27. Tabouret.
28. Table.
29. Fauteuil du Grand-Maitre.
30. Place du premier Surveillant.
31. Place du second Surveillant.
32. 32. Place des Maitres.
33. 33. Place des Apprentifs-Compagnons, excepté le dernier-reçu.

II.

Wahrhaffter Abriß der Loge
bey der Aufnahme eines Lehrlings oder Gesellen.

1 Die Säule Jakin.
2 Die Säule Boaz.
3 Die sieben Stuffen zum Tempel.
4 Das Mosaische Estrich.
5 Das Thor gegen Westen.
6 Der Hammer.
7 Das Winkelmaas.
8 Das Reißbret.
9 Das Fenster gegen Westen.
10 Die Bleywaage.
11 Die perpendicular Linie oder das Senkbley.
12 Die Thüre der innern Kammer.
13 Der cubische Stein mit einer Spitze.
14 Das Fenster gegen Süden.
15 Das Thor gegen Süden.
16 Die Sphäre.
17 Der rohe Stein.
18 Die Kelle.
19 Der strahlende Stern.
20 Das Fenster gegen Osten.
21 Die Sonne.
22 Der Mond.
23 Der Zirkel.
24 Die zackichte Quaste.
25 Das Thor gegen Osten.
26 26 26 Die drey Lichter.
27 Der Schemmel.
28 Der Tisch.
29 Lehnstuhl des Großmeisters.
30 Der Platz des ersten Vorstehers.
31 Der Platz des zweiten Vorstehers.
32 32 32 32 Plätze der Meister.
33 33 33 Plätze der Lehrlinge und Gesellen, bis auf den Jüngsten derselben,

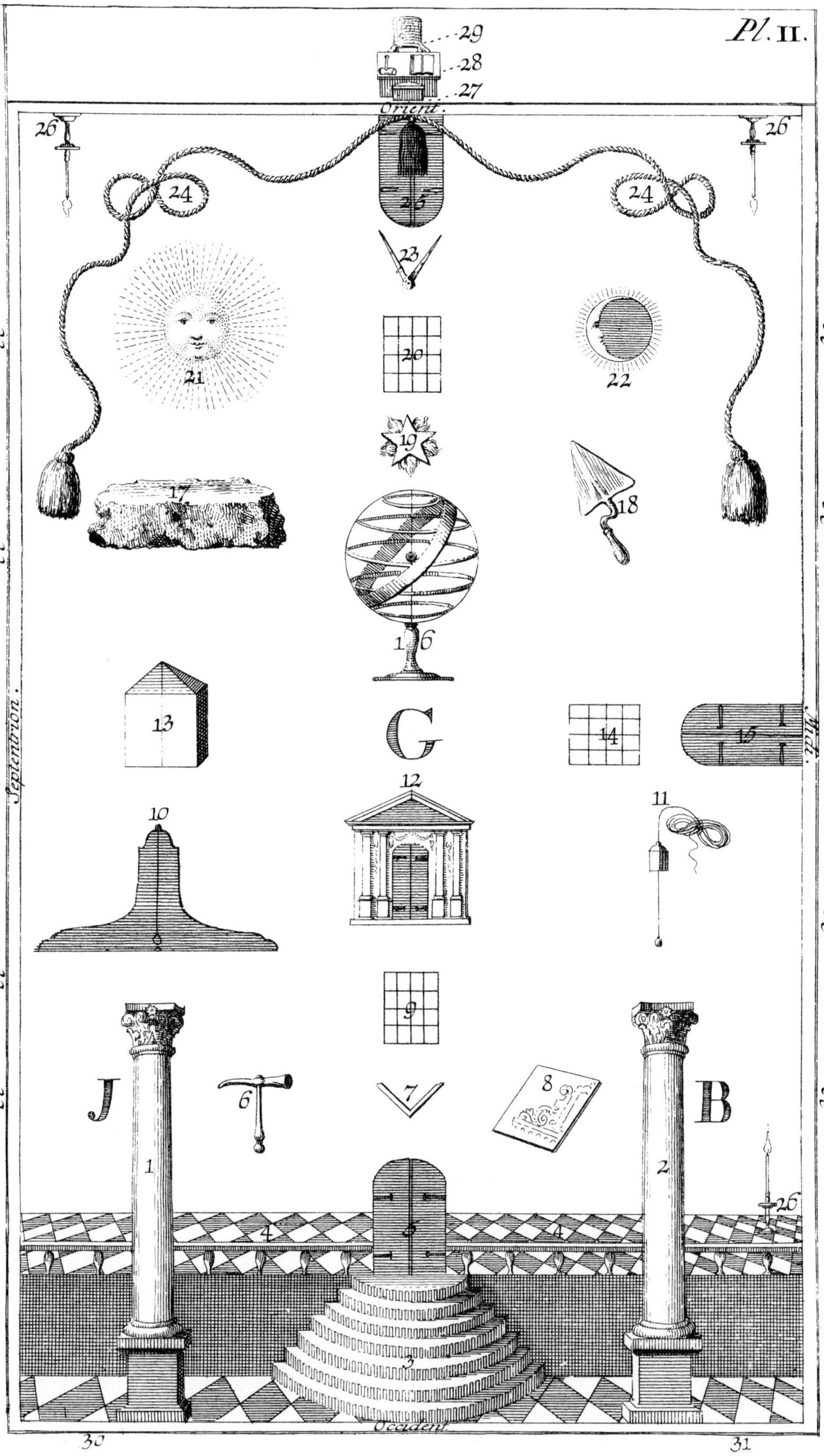

Pl. II.
29
28
27
Orient.
26
26
24
24
25
23
20
21
22
19
17
18
16
13
G
14
15
Septentrion.
Midi.
12
10
11
9
J
6
7
8
B
1
2
26
4
5
4
3
Occident
30
31
32
32
33
33
33
33

26 *Abriß der Meister-Loge (unrichtig) / Plan of the Lodge for the Raising of a Master (incorrect) / Plan de la Loge pour la réception d'un Maître (inexact)*

I/d   Kupferstich / Copperplate / Estampe en taille douce
      Bild   Print   Image   10,8 × 16,1 cm
      Platte   Plate   Plaque   11,9 × 18,3 cm
      Blatt   Sheet   Feuille 13,4 × 25,3 cm
      Stecher   Engraver Graveur   —

Aus dem Buch / From the book / Extrait du livre
L'ORDRE DES FRANCS-MAÇONS TRAHI, ET LE SECRET DES MOPSES RÉVÉLÉ
Amsterdam 1745. Jean Neaulme, 1. Ausg. (Bes./Colln.: Ldr., Bibliogr.: Wo 29 963 Kl. 1860)

Auch hier in Planche IV erscheint mir die sogenannte ‚unrichtige' Darstellung die heute gebräuchlichere zu sein. Zu beachten ist sowohl in Pl. IV als auch in Pl. V (Bild 27) die Stellung der drei mal drei kleinen Lichter.

Der deutsche Text der Erläuterungen ist wie in den vorherigen Bildern der alten deutschen Übersetzung von 1745 entnommen.

Here also (Planche IV) it seems to me that the so-called "incorrect" representation is the more customary one today. Note however here in Pl. IV and in Pl. V (Plate 27) the position of the three triple Lesser Lights.

The German explanatory text is taken from the old German translation of 1745, as for the preceding Plates.

Cette planche IV, soi-disant «fausse» me semble être la plus généralement utilisée aujourd'hui. A remarquer ici l'emplacement des trois colonettes à triple étoile, de même que dans la planche V (image 27).

Le commentaire allemand est, comme les précédents, pris de l'ancienne traduction allemande de 1745.

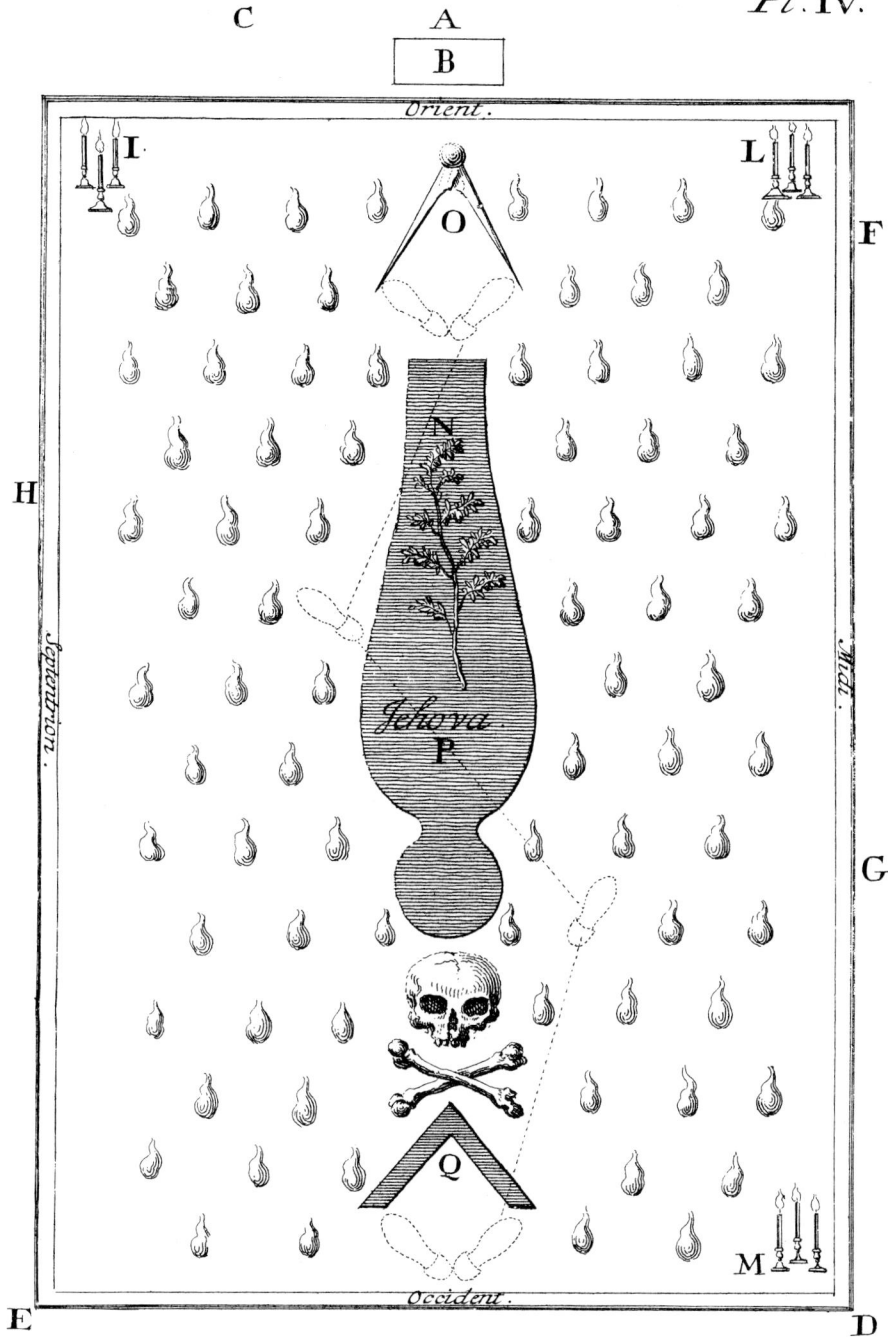

Pl. IV.

Orient.

Septentrion.

Midi.

Jehova

Occident.

PLAN DE LA LOGE

POUR LA RECEPTION D'UN MAITRE,

Tel qu'il a été publié à Paris, mais inexact.

A. Place du Grand-Maitre.
B. Autel.
C. Place de l'Orateur.
D. Place du premier Surveillant.
E. Place du second Surveillant.
F. G. H. Places des trois Frères au rouleau de papier.
I. Lumières d'Orient.
L. Lumières du Midi.
M. Lumières d'Occident.
N. Branche d'Acacia.
O. Compas.
P. Ancien Mot de Maitre.
Q. Equerre.

IV.

Abriß der Meister-Loge

Wie er zu Paris, aber unrichtig, ans Licht gekommen.

A Platz des Großmeisters.
B Der Altar.
C Platz des Redners.
D Platz des ersten Vorstehers.
E Platz des zweiten Vorstehers.
F G H Plätze der drey Brüder mit den zusammen gerollten Pappiere,
I Lichter in Osten.
L Lichter in Süden.
M Lichter in Westen.
N Der Zweig von Acacia.
O Der Zirkel.
P Das alte Meisterwort.
Q Das Winkelmaaß.

27 „Wahrhaffter" Abriß der Loge bey der Aufnahme eines Meisters / 'True' Plan of the Lodge for the Raising of a Master / Véritable plan de la Loge de Reception d'un Maître

I/d Kupferstich / Copperplate / Estampe en taille douce

Bild	Print	Image	12,8 × 22,8 cm
Platte	Plate	Plaque	13,? × 23,8 cm
Blatt	Sheet	Feuille	14,4 × 33,5 cm
Stecher	Engraver	Graveur	—

Aus dem Buch / From the book / Extrait du livre
L'ORDRE DES FRANCS-MAÇONS TRAHI, ET LE SECRET DES MOPSES RÉLÉVÉ
Amsterdam 1745. Jean Neaulme, 1. Ausg. (Bes./Colln.: Ldr., Bibliogr.: Wo 29 963 Kl. 1860)

Im Prinzip unterscheidet sich dieser „wahrhaftige" Teppich Planche V nicht sehr von Pl. IV. Verändert ist nur die gesonderte Anbringung des Akazienzweiges und die Aufstellung der drei kleinen Lichter. Auch die Stellung der drei Brüder mit den Papierrollen ist im vorigen Bild 26 (Pl. IV) logischer.

Der deutsche Text der Erläuterungen ist wie bei den vorigen Bildern der alten deutschen Übersetzung von 1745 entnommen.

In principle there is little difference between this "true" carpet (Planche V) and Pl. IV (Plate 26). Only the separate arrangement of the branch of acacia and the placing of the three Lesser Lights are changed, and the position of the three Brethren with their rolls of paper as shown in the previous picture, Plate 26 (Planche IV), is more logical.

The German explanatory text is taken from the old German translation of 1745, as for the preceding Plates.

En principe, il n'y a pas de grandes différences entre ce plan «réel» et celui de la planche IV. A remarquer cependant la position de la branche d'acacia et l'emplacement des trois colonnettes. De même la place des trois Frères porteurs de rouleaux de papier semble plus logique que dans la gravure 26 (Pl IV).

Le commentaire allemand est, comme les précédents, pris de l'ancienne traduction allemande de 1745.

VERITABLE PLAN
DE LA LOGE DE RECEPTION
D'UN MAITRE.

A. Fauteuil du Grand-Maitre.
B. Efpèce d'Autel, fur lequel il y a une Bible, & un Maillet.
C. Compas.
D.-E. Cercueil.
F. Os en fautoir.
G. Ancien Mot de Maitre.
H. Tête de mort.
I. Equerre.
K. K. K. K. Larmes.
L. Montagne.
M. Branche d'Acacia.
N. N. N. Les 3 Frères qui tiennent un rouleau de papier.
O. O. O. Les 9 Lumiè-res, placées trois à trois.
P. Premier Surveillant.
Q. Second Surveillant.
R. L'Orateur.
S. Les Frères Vifiteurs.
T. Le Sécrétaire.
V. Le Tréforier.
X. Le Récipiendaire.

NB. Quelques Francs-Maçons pretendent, qu'aux endroits marqués ici par les trois petites Lettres *a*, *b*, *c*, on doit repréfenter le Soleil, l'Etoile flamboyante, & la Lune. Mais quoique cet ufage s'obferve conftamment dans les Loges d'Apprentif & de Compagnon, il n'en eft pas de même dans les Loges de Maitre.

V.
Wahrhaffter Abriß der Loge
bey der Aufnahme eines Meifters.

A Lehnftuhl des Großmeifters.
B Eine Art von Altare, worauf eine Bibel und ein Hammer liegen.
C Der Zirkel.
D E Der Sarg.
F Die Knochen, fo ein Andreas-Creutz bilden.
G Das alte Meifterwort.
H Der Todten-Kopf.
I Das Winkelmaaß.
K Thränen.
L Der Hügel.
M Der Zweig von Acacia.
N N N Die drey Brüder mit zufammen gerollten Pappiere.
O O O Die neun Lichter, fo drey und drey beyfammen ftehen.
P Der erfte Vorfteher.
Q Der zweite Vorfteher.
R Der Redner.
S Die befuchenden Brüder.
T Der Secretär.
V Der Schatzmeifter.
X Der Neuaufzunehmende.

NB. Einige Freymäurer behaupten, daß an den Plätzen, die mit den drey kleinen Buchftaben a b c bezeichnet find, die Sonne, der ftrahlende Stern und der Mond ftehen follten. Aber obgleich diefe Figuren bey Aufnahme der Lehrlinge und Gefellen üblich find, fo find fie deßwegen doch nicht bey der Meifterloge gebräuchlich.

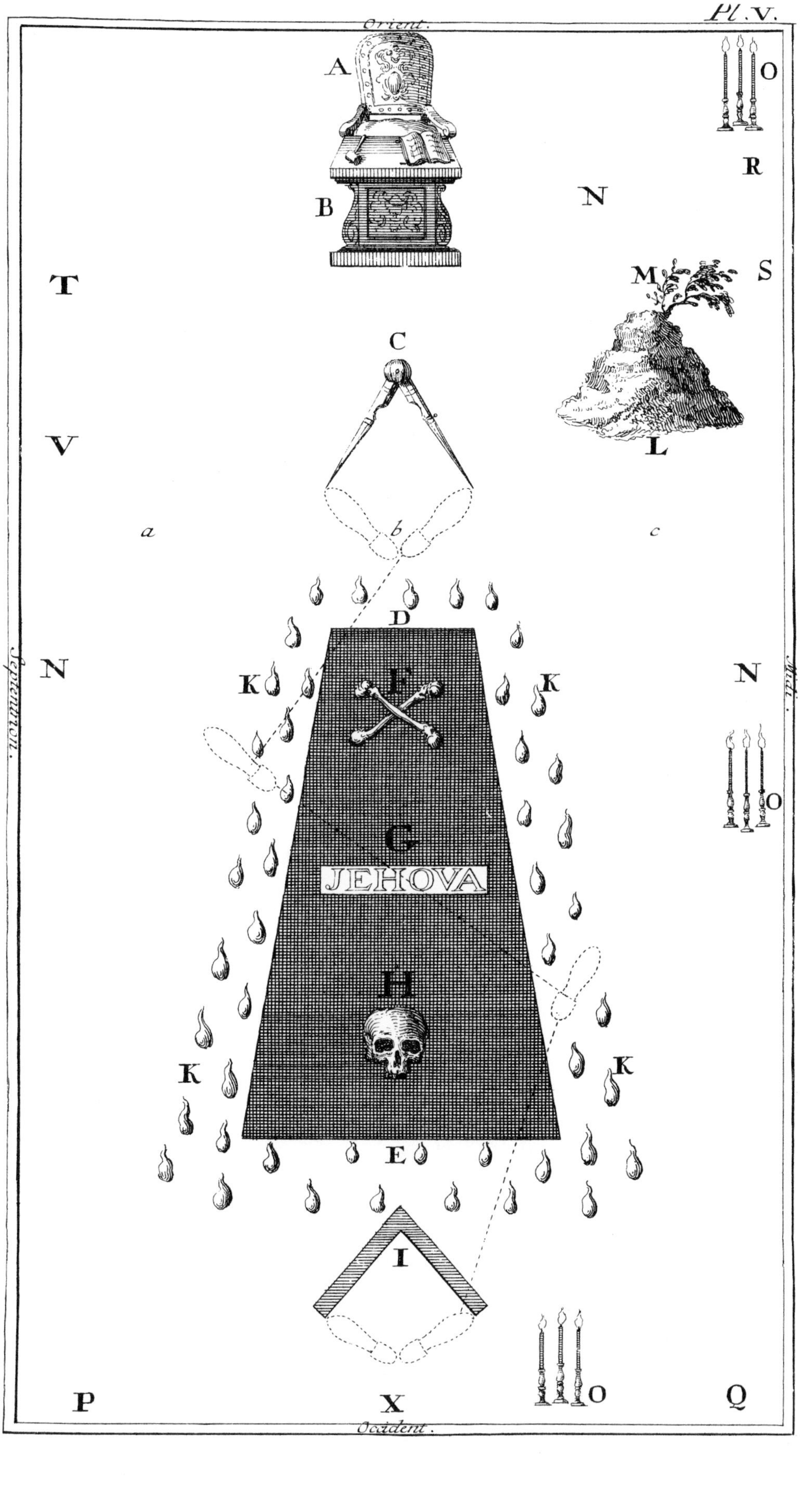

Pl. V.

Orient.

A

B

T

V

N
Septentrion.

P

C

a

b

c

D

K

F

K

G

JEHOVA

H

K

K

E

I

X

O

R

N

M   S

L

N
Midi.

O

O

Q

Occident.

28 *Abriß der Loge des Meisters / Plan of the Masters Mason's Lodge / Plan de la Chambre du Milieu*

I/d Kupferstich / Copperplate / Estampe en taille douce

Bild	Print	Image	10,3 × 15,7 cm
Platte	Plate	Plaque	12,7 × 18,5 cm
Blatt	Sheet	Feuille	15,3 × 21,2 cm
Stecher	Engraver	Graveur	

Aus dem Buch / From the book / Extrait du livre
NOUVEAU CATÉCHISME DES FRANCS-MAÇONS
nach Wolfstieg 1749, Troisième Édition. (Bes./Colln.: FM. Bibl. Bayreuth Nr. 3226 S, Bibliogr.: Wo 29 960 Kl. 1833)

Leider ist der Erhaltungszustand dieses Stiches nicht sehr gut. Der angedeutete schwarze Untergrund ist heute sehr häufig anzutreffen.
Die Stellung der kleinen Lichter ist zu beachten.

Unfortunately, this engraving is not well preserved. The black background indicated here is frequently met with now.
The placing of the Lesser Lights is to be noted.

Malheureusement l'état de conservation de cette gravure n'est pas très bon. Actuellement on trouve souvent le fond noir esquissé ici.
A remarquer l'emplacement des colonnettes.

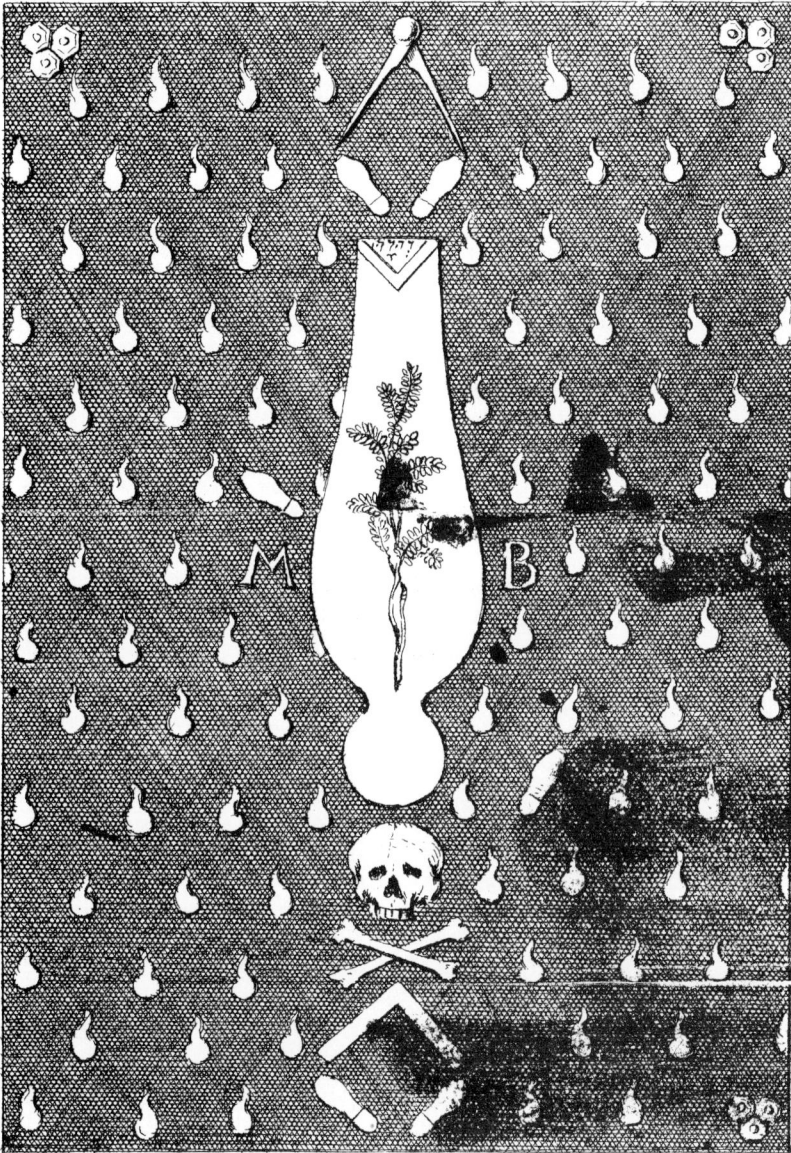

29 *Abriß der Lehrlings-Loge / Plan of an E A Lodge / Plan de la Loge des Apprentis*

I/e Kupferstich / Copperplate / Estampe en taille douce

Bild	Print	Image	8,7 × 15,3 cm
Platte	Plate	Plaque	9,7 × 16,2 cm
Blatt	Sheet	Feuille	11,8 × 20,4 cm
Stecher	Engraver	Graveur	—

Aus dem Buch / From the book / Extrait du livre
MAURERISCHES HANDBUCH . . .
aus dem Französischen 1821. (Bes./Colln.: Ldr.,Bibliogr.: Wo 33 185 Kl. 2012)

Es handelt sich bei diesem und den beiden folgenden Teppichen um drei Johannisgrade, die zu einem Hochgradsystem gehören. Alle drei sind fast unverändert noch heute im Gebrauch.

Im Text: „Um die Loge herum geht die gekerbte Schnur (mehrfache Unendlichkeitszeichen). Im Westen sind zwei bronzene Säulen korinthischer Ordnung, auf jedem Capital drei halb geöffnete Granatäpfel."

In this and the following two carpets we are dealing with three 'blue' (St. John's) degrees)nging to a Higher Degrees system. All three still remain in use today, almost without modification.

The text states: 'Around the Lodge is placed the indented *(sic)* cord (with repeated represe   ions of the sign of infinity). In the West stand two columns of bronze of the Corinthian order, upon ea(apital three half-opened pomegrenates'.

Il s'agit, pour ce tapis comme pour les 2 suivants, de trois grades de Saint-Jean, relevant d'   autorité de Hauts-Grades. Tous trois sont encore en usage aujourd'hui, pratiquement sans changement.

Le commentaire indique: «La corde d'Union encercle le Loge» (plusieurs symboles d'   hité y sont inclus). A l'ouest on remarque deux colonnes en bronze de l'ordre corinthien; sur leur   hapiteaux se trouvent trois grenades à moitié ouvertes.

30 *Abriß der Gesellen-Loge / Plan of a F C Lodge / Plan de la Loge des Compagnons*

I/e

Kupferstich / Copperplate / Estampe en taille douce

Bild	Print	Image	8,7 × 15,2 cm
Platte	Plate	Plaque	9,7 × 18,0 cm
Blatt	Sheet	Feuille	11,7 × 20,4 cm
Stecher	Engraver	Graveur	—

Aus dem Buch / From the book / Extrait du livre
MAURERISCHES HANDBUCH . . .
aus dem Französischen 1821. (Bes./Colln.: Ldr., Bibliogr.: Wo 33 185 Kl. 2012)

Der Teppich auf Bild 29 ist jetzt erweitert durch den musivischen Fußboden — die sieben Stufen — den flammenden Stern mit dem Buchstaben ‚G' — rechts und links je vier statt bisher drei Knoten — im Norden Maßstab und Hebebaum.

The carpet shown on Plate 29 is now modified by the mosaic pavement, the seven steps, the blazing star with the letter G, at right and left four knots each instead of three shown previously, and in the North gauge and crow-bar.

Le tapis de l'image 29 est complété ici par le tapis mosaïque — les 7 marches — l'étoile flamboyante avec la lettre G — à droite et à gauche 4 noeuds au lieu de 3 — au nord une règle et une canne.

31 *Abriß der Meister-Loge* / *Plan of a M M Lodge* / *Plan de la Chambre du Milieu*

Kupferstich / Copperplate / Estampe en taille douce

I/e

Bild	Print	Image	8,7 × 15,2 cm
Platte	Plate	Plaque	? × 18,5 cm
Blatt	Sheet	Feuille	11,7 × 20,4 cm
Stecher	Engraver	Graveur	—

Aus dem Buch / From the book / Extrait du livre
MAURERISCHES HANDBUCH . . .
aus dem Französischen 1821. (Bes./Colln.: Ldr., Bibliogr.: Wo 33 185 Kl. 2012)

Auf dem musivischen Fußboden der verdeckte Sarg mit dem Akazienzweig, dem Dreieck mit dem Buchstaben ‚G', und das Winkelmaß überdeckt mit dem Zirkel.

Upon the mosaic pavement the covered coffin with the branch of acacia, the triangle with the letter G, and the square covered by the compasses.

Un cercueil recouvert d'une draperie sur laquelle se trouvent une branche d'acacia, le triangle avec la lettre G, et le compas au-dessus de l'équerre, est placé sur le pavement mosaïque.

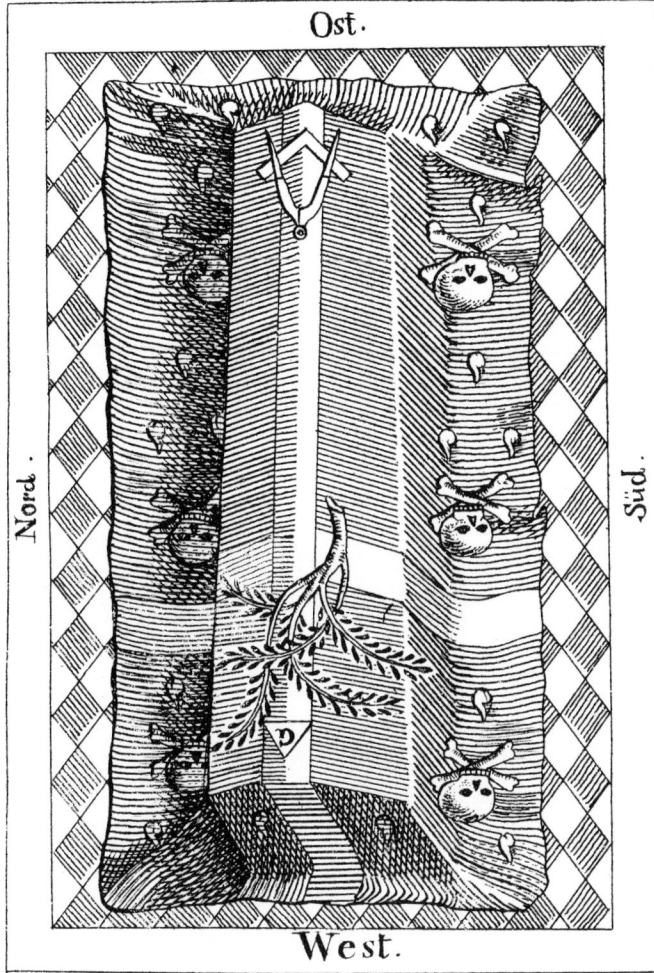

Ost.

Nord.

Süd.

West.

32 *Schurz mit Rosen, 1741 / Apron with Roses, 1741 / Un tablier orné de roses*

Kupferstich / Copperplate / Estampe en taille douce

I/f
Bild	Print	Image	9,3 × 15,5 cm
Platte	Plate	Plaque	10,? × 16,2 cm
Blatt	Sheet	Feuille	11,0 × 17,5 cm
Stecher	Engraver	Graveur	—

Aus dem Buch / From the book / Extrait du livre
SENDSCHREIBEN EINES FREYMÄURERS AN MYLORD ROBERT TRUELL ...
aus dem Englischen 1741. (Bes./Colln.: Ldr., Bibliogr.: Wo 28 150 Kl. 262)

Diese Darstellung eines knielangen Schurzes, mit Rosen geschmückt, war die älteste Darstellung, die mir für dieses schöne Motiv zur Verfügung stand. Sicher ist auch diese abgekupfert, da kein Stecher angegeben und das Buch eine Übersetzung aus dem Englischen ist — und die Unterschrift „L'Amour Maçon" auf Frankreich deutet. Der Schurz, mit Rosen besetzt, ist in alten Zeiten häufiger anzutreffen. Meine eigene Loge Zur Ceder, gegr. 1777, hat wohl von Anbeginn an den weißen Lederschurz mit blau-gelben Rosetten und blau-gelbem Rand getragen.

This representation of a knee-length apron decorated with roses is the oldest illustration available to me of this beautiful motif. It is certain that this is also a copy etching, since no engraver's name appears on it, the book is a translation of an original English text, and the title 'L'Amour Maçon' points to France. The apron is set with roses, frequently met with in earlier times. In my own Lodge 'Zur Ceder' (The Cedar), founded 1777, a white leather apron with blue-yellow rosettes and blue-yellow edging has probably been worn since the beginning. (Translator's Note: rosettes are not usual in many Continental Lodges. On the other hand, some Obediences use distinguishing colours on apron edgings, sashes and jewels for different Lodges).

Cette représentation d'un tablier allant au genou, orné de roses, est la plus ancienne représentation à ma disposition de cet aimable motif. La gravure est certainement une contrefaçon, car aucun graveur n'est mentionné; le livre est une traduction de l'anglais et le titre «L'Amour Maçon» semble faire allusion à la France. Le tablier, orné de roses, etait fréquent jadis. Ma propre Loge «Zur Zeder» (Au Cèdre), fondée en 1777, utilise — vraisemblablement depuis ses débuts — des tabliers de cuir blanc ornés de rosettes bleues et jaunes et entourés des mêmes couleurs.

Amour Maçon

33 *Schurz mit freimaurerischen Symbolen, 1745 / Apron with Masonic Symbols, 1745 /*
Tablier avec des symboles maçonniques, 1745

I/f Kupferstich / Copperplate / Estampe en taille douce
Bild   Print   Image   6,5 × 4,2 cm
Platte   Plate   Plaque   6,5 × 4,2 cm
Blatt   Sheet   Feuille   Titelseite
Stecher   Engraver   Graveur   S. Focke

Aus dem Buch / From the book / Extrait du livre
L'ORDRE DES FRANCS-MAÇONS TRAHI, ET LE SECRET DES MOPSES RÉVELÉ.
Amsterdam 1745, Jean Neaulme, 1. Ausg. (Bes./Colln.: Ldr., Bibliogr.: Wo 29 963 Kl. 1860)

Das Titelblatt dieses Buches zeigt einen Schurz mit einer Öse zum Hochknöpfen. Er ist mit mehreren freimaurerischen Symbolen geschmückt, allerdings werden beim Herunterklappen Winkel und Zirkel verdeckt.

The title page of this book shows an apron with an eyelet for buttoning the flap upward. It is decorated with several masonic symbols, although square and compasses are covered when the flap is worn downwards.

La page de titre de ce livre reproduit un tablier avec un oeillet servant à le relever. Il est orné d'emblèmes maçonniques, à remarquer que l'équerre et le compas sont cachés quand la bavette est rabattue.

L'ORDRE

DES

FRANCS-MAÇONS

TRAHI,

ET

LE SECRET

DES MOPSES

REVELÉ.

A AMSTERDAM,
M. DCC. XLV. ᴋᴋ

34 *Meisterschurz aus Leer, Ostfriesland 1821 / Printed Master Mason's Apron from Leer, East Friesia 1821 / Tablier de Maître, Origine: Leer, Ostfriesland 1821*

I/f

Breite	Width	Largeur	44 cm
Höhe	Height	Hauteur	45 cm

Gez. und lithogr. von / Drawn and lithographed by / Dessiné et lithogr. par
C. H. Dieckmann (Johannis-Loge zur goldenen Harfe)
(Bes./Colln.: FM. Bayreuth)

Beherrschend für diesen gedruckten, deutschen Schurz — wohl einmalig in seiner Art — sind drei Totenschädel mit drei Akazienzweigen. Vor dem Altar (?) liegen verschiedene freimaurerische Symbole, u. a. noch ein Totenkopf.

Rechts und links hiervon zwei Frauengestalten, wohl die Weisheit und Schönheit allegorisierend. Man sieht an diesem Schurz, auf welchen Wegen sich die Phantasie innerhalb der Freimaurerei um diese Zeit bewegte.

Die Klappe ist nach unten geschlagen. Über den drei Adlern, die zur Sonne — zum Licht streben, der Spruch: „den Adlern gleich".

This printed German apron — probably singular of its kind — is dominated by three skulls with three acacia branches. In front of the altar (?) are placed various masonic symbols including a further skull.

At right and left two female figures, probably an allegory of Wisdom and Beauty. This apron shows the ways of phantasy in which Freemasonry was moving at this time.

The flap is placed down. Above the three eagles which are striving towards the sun — the light — the motto: 'Like unto the Eagles'.

Ce tablier imprimé, d'origine allemande, probablement unique en son genre, est remarquable par les 3 crânes avec les branches d'acacia. Devant l'autel (?) plusieurs emblèmes maçonniques, dont un crâne.

A droite et à gauche deux femmes sont vraisemblablement les allégories de la sagesse et de la beauté. Ce tablier nous montre dans quelles fantaisies la maçonnerie de cette époque se complaisait.

La bavette est rabattue. Au-dessus des trois aigles qui s'élancent vers le soleil, on peut déchiffrer la légende: «semblable à l'aigle.»

AQUILARUM AD INSTAR.

Freimaurerische Unterrichtung / Masonic Instruction / Instruction maçonnique.

Kupferstich / Copperplate / Estampe en taille douce

Bild	Print	Image	8,5 × 14,2 cm
Platte	Plate	Plaque	10,3 × 16,5 cm
Blatt	Sheet	Feuille	12,0 × 21,0 cm
Stecher	Engraver	Graveur	—

Frontispiz aus dem Buch / Frontispiece from the book / Frontispice du livre
DER VERKLÄRTE FREYMAURER . . .
(Wien 1791, Pazowski). (Bes./Colln: Ldr., Bibliogr.: Wo 29 998 Kl. 526)

Auf einem Tisch ist ein Logenabriß ausgebreitet oder aufgezeichnet, auch die drei kleinen Lichter sind nicht vergessen worden, ebenso klar erkenntlich sind die einzelnen Symbole.

Der Bruder im Vordergrund mit dem ausgestreckten Zeigefinger scheint die Symbole auf ihre Bedeutung hin erläutert zu haben. Der Sinn seiner Rede und ihre Wirkung wird angedeutet durch das Dreieck mit dem Auge Gottes aus den Wolken heraus. Ein Strahl leuchtet aus dem Zentrum des Spiegels und gibt den Schein wieder mit den Worten: „Das Licht scheint in der Finsternis, und die Finsternis hat's nicht begriffen". Alle Brüder tragen Schulterbänder: im Vordergrund und auf der rechten Seite des Bildes von links nach rechts, die drei Brüder auf der linken Seite von rechts nach links.

Alle neun Brüder, die um den Tisch herum sitzen, tragen Hüte, zwei jedoch den neuen Zylinderhut. Die Zeitbestimmung mit 1791 scheint richtig zu sein. Runkel veröffentlicht den Kupferstich in seinem Buch „Geschichte der Freimaurer in Deutschland", Band 1, Seite 160, mit der Angabe: „Freimaurerische Arbeit um 1750" (leider ohne Quellenangabe).

On a table a tracing board is laid out or drawn, and even the three Lesser Lights have not been forgotten. The individual symbols are equally clearly recognisable.

In the foreground the Brother pointing with his finger appears to be explaining the meaning of the symbols. The sense of his discourse and its effect is indicated by the triangle with the All-Seeing Eye penetrating the clouds. A ray shines from it and is reflected from the centre of the mirror, with the words: "The Light shines in the Darkness, and the Darkness has not comprehended it". All the Brethren wear sashes; in the foreground and at the right of the picture from the left shoulder to the right, the three Brethren at the left from the right to the left.

All nine Brethren seated around the table wear hats, but two of them wear the new top-hat. The date 1791 seems correct. Runkel publishes the engraving in his book "Geschichte der Freimaurer in Deutschland" (History of the Freemasons in Germany), vol. I p. 160, with the note "Freimaurerische Arbeit um 1750" (Masonic working about 1750), but unfortunately without indication of his source.

Le plan de la Loge est étalé ou dessiné sur une table, les 3 colonnettes n'ont pas été oubliées; les différents symboles sont facilement reconnaissables.

Au premier plan, le Frère à l'index pointé semble expliquer les symboles. La projection de son enseignement est matérialisée par le triangle avec l'oeil divin qui émerge des nuages. Le centre du miroir émet un rayon de lumière, dont le reflet porte ces mots: «La lumière brille dans les ténèbres, et les ténèbres ne l'ont pas compris». Tous les Frères portent un sautoir, les Frères de droite au premier plan le portent de gauche à droite, les 3 Frères de gauche le portent de droite à gauche.

Tous les 9 Frères qui entourent la table portent un chapeau, deux portent le nouveau haut-de-forme. La date 1791 semble exacte. Runkel publie cette gravure dans son livre «Geschichte der Freimaurer in Deutschland» (Histoire des Francs-Maçons en Allemagne) tome I page 160 avec l'indication «travaux maçonniques vers 1750» (malheureusement sans référence de sources).

Lux lucet in tenebris

Tenebrae eam non comprehenderunt

36 *Festschmaus (Cérémonie des Festins) / Ceremonial Banquet (Cérémonie des Festins) /*
Banquet rituel (Cérémonie des festins)

I/h   Kupferstich / Copperplate / Estampe en taille douce

Bild	Print	Image	6,1 × 10,9 cm
Platte	Plate	Plaque	—
Blatt	Sheet	Feuille	9,2 × 16,3 cm
Stecher	Engraver	Graveur	—

Der Serie Bild 4 aus dem Buch / Print 4 of set from the book / Image 4 tirée du livre
NOUVEAU CATÉCHISME DES FRANCS-MAÇONS.
nach Wolfstieg im Jahre 1749. Troisième Édition. (Bes./Colln.: FM. Bibl. Bayreuth Nr. 3226,
Bibliogr.: Wo 29 960 Kl. 1853)

Alle Brüder stehen im Zeichen (der Gesellen?). Nur der „Ehrwürdige" hat noch seinen Hut auf. Abzeichen
und Schurze sind kaum zu erkennen, jedoch scheint der Ehrwürdige ein Halsband zu tragen. Die beiden
Aufseher am Tischende drehen dem Beschauer den Rücken zu. Eine Ordnung, die heute noch für unser
Brudermahl zutrifft.

Nicht geklärt konnte die Person hinter dem Ehrwürdien werden, die mit einer dunklen Mütze bedeckt ist. Es
wird angenommen, daß es sich um den Krugwirt handelt. Fast immer tagten in früheren Zeiten die Logen in
Wirtshäusern.

All the Brethren stand to order (as FCs?). Only the 'Worshipful' (Master) still wears his hat. Jewels and
aprons are barely recognisable, but the Master seems to be wearing a collar. Both Wardens at the foot of the
table turn their backs towards the beholder. An arrangement which is still applicable to our banquets today.

It has been impossible to ascertain who is the person behind the Master, wearing a dark cap, but this may
possibly be the innkeeper or pot-boy, since in early times the Lodges met almost without exception at inns.

Tous les Frères sont à l'Ordre (en Compagnons?). Seul le Vénérable est coiffé de son chapeau. On peut à
peine distinguer les bijoux et les tabliers, cependant le Vénérable semble porter un sautoir. Les deux
Surveillants, aux extrémités des tables, tournent le dos à l'observateur. Cette dispositon est encore en usage
aujourd'hui.

Le personnage qui se tient derrière le Vénérable, et qui porte un bonnet noir, n'a pas pu être identifié. On
peut supposer qu'il s'agit de l'aubergiste. Jadis les Loges se réunissaient presque toujours dans des auberges.

37 *Freimaurerisches Mahl / Masonic Banquet / Banquet rituel*

I/h

Stahlstich / Steel engraving / Gravure sur acier

Bild	Print	Image	16,3 × 10,4 cm
Platt	Sheet	Feuille	26,0 × 16,0 cm

Seigneurgens del. Campagnon Sculpt.

Der Serie Bild 3 (Pl. 3) aus dem Buch / Print 3 (Planche 3) from the book / Image 3 (Pl. 3) du livre
HISTOIRE PITTORESQUE DE LA FRANC-MAÇONNERIE ET DES SOCIÉTÉS SECRÈTES AN-CIENNES ET MODERNES: PAR F. T. B. CLAVEL; ILLUSTRÉE DE 25 BELLES GRAVURES SUR ACIER.
Paris. Pagnerre. Editeur. 1843. (Bes./Colln.: Ldr., Bibliogr.: Wo 3813, Kl. 2875)

Ein Vergleich mit dem 36. Bild aus dem Jahre 1749 und diesem Stahlstich vor 1843 zeigt, daß die Gebräuche sich nicht geändert haben. Die hufeisenförmige Tafel ist geblieben; ebenso die Sitzordnung – der Ehrwürdige Meister in der Mitte, die Aufseher an beiden Enden.

Neu ist nur der prächtige Baldachin über dem Meister. Die sichtbare Wand ist mit Girlanden und freimaurerischen Symbolen geschmückt.

Der Stich zeigt, daß der Ehrwürdige soeben einen Trinkspruch ausgebracht hat. Alle Brüder stehen und haben ihr Glas erhoben. Bei fast allen Brüdern ist ein Schulterband von rechts nach links sichtbar. Ein Schurz ist hier nicht mit Sicherheit auszumachen. Kerzen sind auf der Tafel nicht aufgestellt.

Comparison of this engraving of 1843 with plate 36 of 1749 shows that the customs have not changed. The horseshoe-shaped table has remained, similarly the seating arrangement with the Worshipful Master in the centre and the Wardens at the two ends.

But the splendid baldachino over the Master is new. The side wall shown is beautifully decorated with garlands and masonic symbols.

The engraving shows that the Master has just given a toast. All the Brethren are standing and have raised their glasses. Almost all the Brethren can be seen to wear a sash from the right shoulder to the left side. An apron cannot be discerned with certainty. No candles are placed on the table.

En comparant cette gravure sur acier de 1843 avec l'image 36 de 1749, on peut constater que les coutumes n'ont pas changé. La table en fer à cheval ainsi que la place des convives sont restées les mêmes: le Vénérable au milieu, les Surveillants aux deux extrémités.

Le superbe baldaquin au-dessus du Vénérable est nouveau. Le mur qui est visible est orné avec goût de guirlandes et de symboles maçonniques.

La gravure montre le Vénérable en train de porter une santé. Tous les Frères debout, lèvent leur verre. Chez presque tous les Frères on peut remarquer un sautoir porté de droite à gauche. On ne pent pas identifier avec certitude s'il y a des tabliers. Il n'y a pas d'étoiles sur la table.

ZWEITER TEIL / PART TWO / DEUXIÈME PARTIE

HOCHGRADE (ERKENNTNISSTUFEN)

THE HIGHER DEGREES

LES HAUTS GRADES

Frontispiz / Frontispiece / Frontispice

Modernes Triptychon des Kapitels Sinceritas, Hannover;
nach Entwürfen von Wilhelm Menge und Hermann Zech.

Modern Triptych of Chapter Sinceritas, Hannover;
designed by Wilhelm Menge and Hermann Zech.

Triptyque du Chapitre Sinceritas, Hannovre;
d'après Wilhelm Menge et Hermann Zech.

INHALT II / CONTENTS II / TABLE DES MATIÈRES II

38 *Erster Bildhinweis auf Hochgrade / Earliest illustrated reference to the Higher Degrees / Premier document illustré des Hauts-Grades*

II/a   Kupferstich / Copperplate / Estampe en taille douce

Bild	Print	Image	14,7 × 15,0 cm
Platte	Plate	Plaque	15,7 × 15,9 cm
Blatt	Sheet	Feuille	17,7 × 19,5 cm
Stecher	Engraver	Graveur	S. Focke 1746

Aus dem Buch / From the book / Extrait du livre
LES FRANCS-MAÇONS ÉCRASÉS ...
Amsterdam 1747. (Bes./Colln.: Ldr., Bibliogr.: Wo 29 969 Taute 1361)

Schon früh scheinen sich die Gedanken geregt zu haben, ob menschliches Denken nicht doch noch weitere Erkenntnisse über den Meister-Grad hinaus bringen könnte. Es ist dies wohl der erste Kupferstich mit Hinweisen auf einen Hochgrad: Architekten (Baumeister) oder Schotten (-Maurer).

Auf dieser Darstellung erscheinen bemerkenswerte Tiersymbole: A der Fuchs, B der Affe, C der Löwe, D der Pelikan, E die Taube. Interessant rechts und links die ungleiche Anordnung der Zahlenreihe von 1 bis 17.

At quite an early date the idea seems to have evolved that human thought might arrive at a level of understanding beyond that of the Master's Degree. This is probably the first engraving suggesting the Higher Degrees: Architect (Master Builder) or Scottish (Mason).

In this illustration appear remarkable animal symbols: A, the fox; B, the ape; C, the lion; D, the pelican; E the dove. Note left and right the dissimilar arrangement of the numerical series 1—17.

Très tôt déjà la recherche intellectuelle s'est demandé si la pensée humaine ne pourrait pas trouver une connaissance plus approfondie du grade de Maître. C'est certainement la première gravure sur cuivre évoquant un haut-Grade: architecte (maître-d'œuvre) ou écossais (-maçon).

Sur cette représentation apparaissent des symboles intéressants du bestiaire: A, le renard — B, le singe — C, le lion — D, le pélican — E, la colombe. Il est intéressant de remarquer à droite et à gauche la succession disparate des chiffres de l à 17.

2.
1
3

4.
5

6.
7

8.
9

10.
11

12.
13

14.
14

15.
15

16.
16

17.
17

E

D

C

B

A

39 40
41 42
II/a

Ritter vom Adler, vom Pelikan oder Rosenkreuz / Knight of the Eagle, of the Pelican, or Rose-Croix / Chevalier de l'Aigle, du Pélican ou Rose-Croix

Kupferstich / Copperplate / Estampe en taille douce			
Bild	Print	Image	9,2 × 14,7 cm
Platte	Plate	Plaque	—
Blatt	Sheet	Feuille	10,2 × 17,0 cm
Stecher	Engraver	Graveur	—

Aus dem Buch / From the book / Extrait du livre
CHEVALIER DE L'AIGLE; DU PÉLICAN, OU ROSE-CROIX. o. J. u. O.
Joh. Joachim Bode, Weimar ca. 1792. (Bes./ Colln.: Ldr., Bibliogr.: Wo 35 683 Kl. 1930)

39: Zeigt das Titelblatt mit dem Logenabzeichen.

40: Gibt die Ausrüstungsgegenstände des ersten „schwarzen" Zimmers wieder. Der Stern ist das Abzeichen des Meisters. Der Zirkel mit Kreuz und Adler, geschlossen durch das Kreissegment. Auf der Rückseite — hier nicht sichtbar — ein Pelikan.

41: Zweites Zimmer ebenfalls mit drei mal elf Lichtern.

42: Dritte Loge mit vier Leuchtern, jeder mit Totenkopf und gekreuztem Gebein. Der Wandbehang zeigt die Schrecken der Hölle.

39: Title page with Lodge jewel.

40: The equipment of the First 'black' Chamber. The Star is the emblem of the Master; note the Compasses with Cross and Eagle, closed by the graduated (divided) quadrant, with the Pelican (here not visible) on the reverse.

41: The Second Chamber, again with three groups of eleven lights.

42: The Third Chamber, with four lights each with skull and crossbones. The wall covering shows the terrors of Hell.

39: Page de titre avec le bijou de Loge.

40: Représentation des décors de la première «chambre noire» L'étoile est l'insigne du Vénérable; un compas avec la croix et l'aigle, fermé par un quart de cercle. Au revers un pélican (non visible ici).

41: La deuxième chambre avec trente-trois lumières en trois groupes de onze chacun.

42: La troisième chambre avec 4 candélabres orné chacun d'un crâne et de deux tibias entrecroisés. La tapisserie montre les épouvantes de l'enfer.

CHEVALIER DE L'AIGLE;

DU PELICAN;

où

ROSECROIX.

39▲

41▼

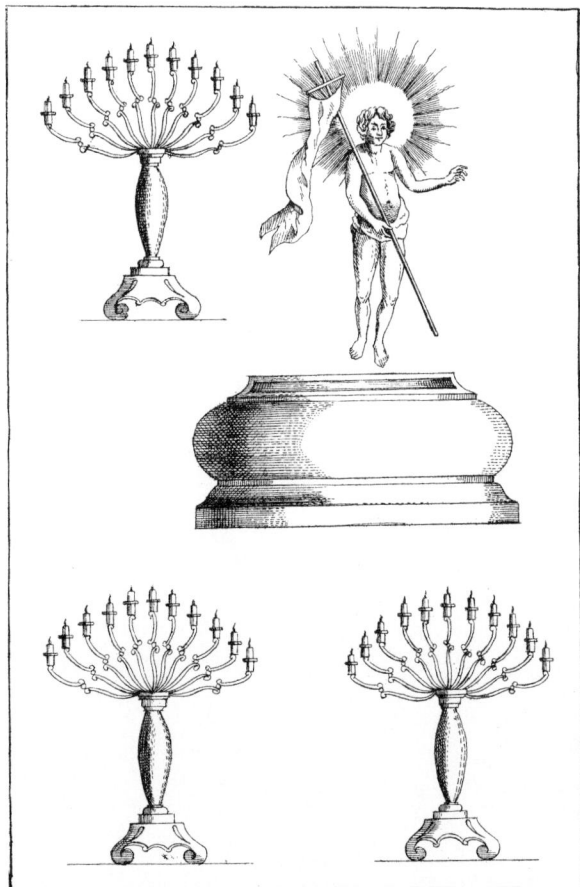

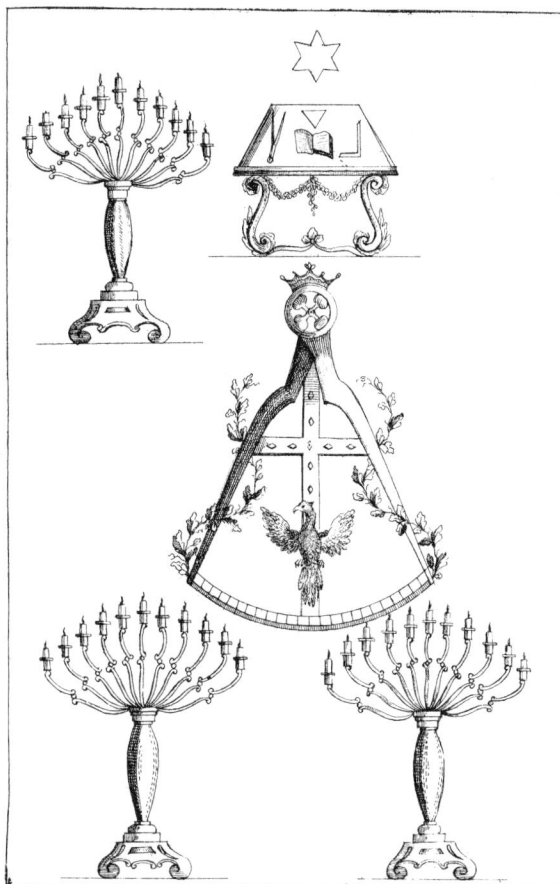

40▲

42▼

43

II/a

Hochgrade der Mutterloge Royal York zur Freundschaft / Higher Degrees of the Mother Lodge Royal York zur Freundschaft (Friendship) / Hauts-Grades de la Loge-mère Royal York de l'Amitié

Kupferstich / Copperplate / Estampe en taille douce
Bild	Print	Image	7,8 × 14,0 cm
Platte	Plate	Plaque	9,0 × 15,0 cm
Blatt	Sheet	Feuille	10,8 × 16,0 cm
Stecher	Engraver	Graveur	J. W. Hanck

Aus dem Buch / From the book / Extrait du livre
DIE HÖCHSTEN GRADE DER HOCHW. GR. M. L. R. Y. Z. FR.
Berlin 1804, bei Joh. Wilh. Schmidt. (Bes./Colln.: Ldr., Bibliogr.: Wo 35 910 Kl. 1960 Taute 13 330)

Fig. 1 zeigt die Einführung der Kandidaten durch die beiden „Vorsteher" (heute Aufseher), die ihre Schwerter gekreuzt halten. Alle sind durch eine grüne Schnur verbunden.

Es handelt sich um eine Schottische Loge oder um eine Loge der St.-Andreas-Ritter. Fig. 2 ist ihr Abzeichen und Figur 4 ihr Symbol: die Schlange mit dem Ei. Fig. 3 gibt die Sitzordnung wieder, welche die drei Brüder mit den Blendlaternen einnehmen. Außerdem sind die Symbole angegeben, die sie tragen.

Fig. 1 shows the two Wardens leading in the Candidates with crossed swords. All are linked together with a green rope. This representation is of a 'Scottish' Lodge or of the Knights of St Andrew. Fig. 2 is the Lodge Jewel and Fig. 4 its symbol, the serpent and egg. Fig. 3 shows the seating arrangement for the three Brethren with the lanterns, together with the symbol worn by each.

La figure 1 montre les 2 Surveillants qui, les épées croisées, font entrer les candidats. Ils sont tous reliés par une cordelière verte. Il s'agit d'une Loge de Chevaliers de St. André. La figure 2 représente leur bijou et la figure 4 leur symbole: le serpent avec l'oeuf. La figure 3 indique la place des 3 Frères portant les lanternes. Les symboles qu'ils portent sont également indiqués.

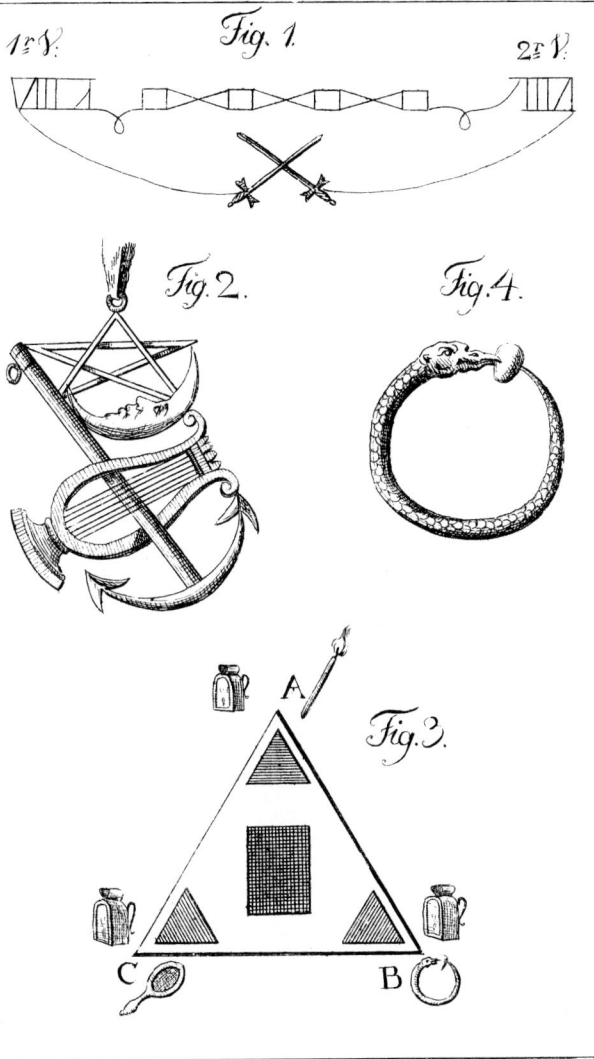

Fig. 1.

1ʳᵉ V.   2ᵉ V.

Fig. 2.   Fig. 4.

A

Fig. 3.

C   B

44 *Logenabriß eines hermetischen Grades / Lodge Plan of a Hermetic Degree / Plan de loge d'un grade hermétique*

II/b   Handzeichnung / Hand-drawn / Dessin
        Bild   Print   Image   13,8 × 17,5 cm
        Blatt   Sheet   Feuille   17,2 × 21,0 cm

Aus einer Handschrift / From a manuscript / Extrait d'un manuscrit
RITUEL ANCIEN, SOIT 5778 DU GRADE DE ∴ ROSE-CROIX.
(Bes./Colln.: Ldr.)

Aus dem handschriftlichen Ritual geht hervor, daß es sich bei den drei Rechtecken mit aufgesetzten Dreiecken um die Pforten handelt: Porte Divine, Porte Royale und Porte Philosophique. Die ersten beiden Buchstaben in den drei Rechtecken: PD – PR – PP beziehen sich auf diese Bezeichnung der drei Pforten. Die übrigen Buchstaben in den drei Rechtecken beziehen sich auf Inschriften über den Pforten, die jedoch weder in dieser Zeichnung noch im Ritual angegeben sind.
Links auf der Abbildung die Zeichen der Planeten in der richtigen Reihenfolge; sinngemäß die zugehörigen Planetenzeichen in oder über den Dreiecken. Zu beachten ist der Maßstab auf der linken Seite.
Die Figur in der Mitte deutet den Zusammenhang mit der Johannis- (blauen) Loge an, vergleiche hierzu das Frontispiz zum dritten Teil dieses Buches.

From the MS Ritual we learn that the three rectangles surmounted by triangles represent three portals, Porte Divine, Porte Royale and Porte Philosophique (Divine, Royal and Philosophical Portals). The upper pair of initials in the three rectangles PD, PR and PP refer to this description of the three Portals. The remaining letters in the three rectangles refer to inscriptions above the Portals, but these are not given or explained either in this drawing or in the Ritual.
At left are shown the signs of the Planets in their correct sequence, and the appropriate sign is repeated in or above the triangles. Note also the Gauge inside the left-hand margin.
The figure in the centre explains the connexion with the blue (St. John's) Lodge, *cf* also frontispiece to Part III of this book.

Extrait d'un rituel ancien: de ce rituel manuscrit, nous concluons que les 3 rectangles, surmontés des triangles sont des portes: porte divine, porte royale, porte philosophique. Les premières lettres inscrites dans les triangles: PD – PR – PP se rapportent aux dénominations des dites portes. Les autres lettres inscrites dans ces triangles se rapportent aux légendes au-dessus de celles-ci; malheureusement elles ne sont évoquées, ni dans le dessin, ni dans le rituel.
A gauche du dessin, les symboles des planètes dans leur ordre authentique; les symboles inscrits à l'intérieur ou au-dessus des triangles sont logiques.
Nous remarquons l'échelle graduée sur le côté gauche; la figure du milieu évoque la connection avec la Loge bleue de St. Jean; elle est à comparer avec le frontispice de la 3ème partie de ce livre.

45

II/b

Historischer Teppich der IX. Erkenntnis-Stufe der GLLvD / Historical Carpet or Tracing Board of the Ninth 'Perception' Degree of the National Grand Lodge of Germany / Tapis historique du IXème dégré

Zeichnung handkoloriert / Drawing, hand-coloured / Dessin coloré à la main

Bild	Print	Image	17,0 × 18,5 cm
Blatt	Sheet	Feuille	20,0 × 23,0 cm

Diese Zeichnung entstand um 1860. Alle Symbole sind in ihrer Bedeutung bekannt. Das auf der Spitze stehende Fünfeck ist tiefschwarz, nicht dunkelblau. Bemerkenswerterweise fehlt die Krone.

Neu ist im Zentrum der gelb-rote Sarg, der wahrscheinlich die Überwindung des Todes bedeuten soll: eine Erkenntnis, die mit zwölf Strahlen (Jünger?) nach allen Seiten ausstrahlt.

Zu beachten sind die symbolischen Zeichen der Elemente: Feuer — Luft — Wasser — Erde; im grünen Dreieck die Elemente der Alchemie: Schwefel — Mercurius — Salz.

Wohl schon zu Beginn des 19. Jahrhunderts ist dieser Teppich nicht mehr benutzt worden.

This drawing was made about 1860. All the symbols are well known as to their meaning. The pentagon standing on its point is deep black, not dark blue as usual. It should be noted that the crown is missing.

A new element is the central coffin in red/yellow, probably signifying the conquest of Death, a revelation radiating out in all directions by twelve rays (? Disciples).

Note the symbolical signs of the elements: fire, air, water, earth; in the green triangle the alchemists' elements: sulphur, mercury, salt.

This Tracing Board was probably no longer in use at the beginning of the 19th Century.

Ce dessin date de 1860 environ. Le sens de tous les symboles est connu. Le pentagone placé sur la pointe est noir et non bleu-foncé. Remarquons l'absence de la couronne.

Au centre le cerceuil jaune et rouge, qui doit probablement symboliser la victoire sur la mort, une certitude qui rayonne dans toutes les directions par 12 raies de lumière (les disciples?).

Remarquons les signes symboliques des éléments: feu — air — eau — terre, et dans le triangle vert, les éléments de l'alchimie: soufre — mercure — sel.

Ce tapis ne devait plus être utilisé au début du 19éme siècle.

46 *Frontispiz mit Titelseite – IV. Grad / Frontispiece and Title Page, Fourth Degree / Frontispice avec page de titre. IVème degré.*

47

II/c

Kupferstich / Copperplate / Estampe en taille douce

Bild	Print	Image	8,5 × 15,0 cm
Platte	Plate	Plaque	11,0 × 18,5 cm
Blatt	Sheet	Feuille	11,7 × 20,5 cm
Stecher	Engraver	Graveur	—

Aus dem Buch / From the book / Extrait du livre
MAURERISCHES HANDBUCH . . .
Leipzig (nach 1820). (Bes./Colln.: Ldr., Bibliogr.: Wo 33 185 Kl. 2012 Taute 1429)

Aus dem Buch: Maurerisches Handbuch oder Darstellung aller in Frankreich üblichen Gebräuche der Maurerei –. Mit 32 Kupfertafeln. Aus dem Französischen. Leipzig (nach 1820).

46: Das Frontispiz mit dem Titelblatt zeigt neben der Akazie bekannte, aber typisch ägyptisch beeinflußte Motive. Um historische Vergleiche durchführen zu können, ist diese Serie von Kupferstichen vollständig übernommen worden. Der Text mit Seitenzahl-Angabe der deutschen Ausgabe ist jedoch gekürzt worden.

47 Figur 1 und 2 führen verschiedene Schreibweisen im IV. Grad des Wortes Jehovah an (S. 62). Figur 3 bildet ein Viereck durch vier gebundene Schritte im V. Grad (? S. 64) Figur 4: Die Wachen tragen im VI. Grad am karminroten Band ein Andreaskreuz; an seinem unteren Ende hängt das Bijou, das aus drei verflochtenen Dreiecken besteht. (S. 66).

From the book: Maurerisches Handbuch oder Darstellung aller in Frankreich üblichen Gebräuche der Maurerei –. Mit 32 Kupfertafeln. Aus dem Französischen. Leipzig (Masonic Handbook or Representation of all the customary Usages of Freemasonry in France –. With 32 Copperplate Engravings. Translated from the French.) (after 1820).

46: The frontispiece and title page show, in addition to the acacia, well-known motifs which are however represented showing a typical Egyptian influence. In order to enable historical comparisons to be made, this series of engravings is here reproduced in its entirety. The text of the German edition has been condensed, and the pagination refers to that edition.

47: Fig. 1 and 2 show different methods of writing the word JEHOVAH in this Degree (p. 62). Fig. 3 forms a square by four linked steps in the Fifth Degree (? p. 64). Fig. 4: the guards wear an emblem in the Sixth Degree, attached to a carmine-red ribbon, forming an X (St. Andrew's Cross) at whose lower end hangs the Jewel consisting of three interlaced triangles (p. 66).

Extrait du livre: Maurerisches Handbuch oder Darstellung aller in Frankreich üblichen Gebräuche der Maurerei –. Mit 32 Kupfertafeln. Aus dem Französischen. Leipzig (après 1820).

46: Le frontispice avec la page de titre représente à côté de l'acacia, des motifs connus, mais d'une inspiration typiquement égyptienne. Cette série de gravure sur cuivre a été entièrement reproduite afin de pouvoir faire des comparaisons historiques. Le texte de l'édition allemande a cependant été élagué.

47: Les figures 1 et 2 montrent deux manières d'écrire le mot «Jéhovah» (p. 62). Figure 3: Marche: former un carré par quatre pas assemblés (? p. 64). Figure 4: Les gardes portent un cordon carminé en sautoir, au bas duquel est suspendu le bijou composé de 3 triangles enlacés (p. 66).

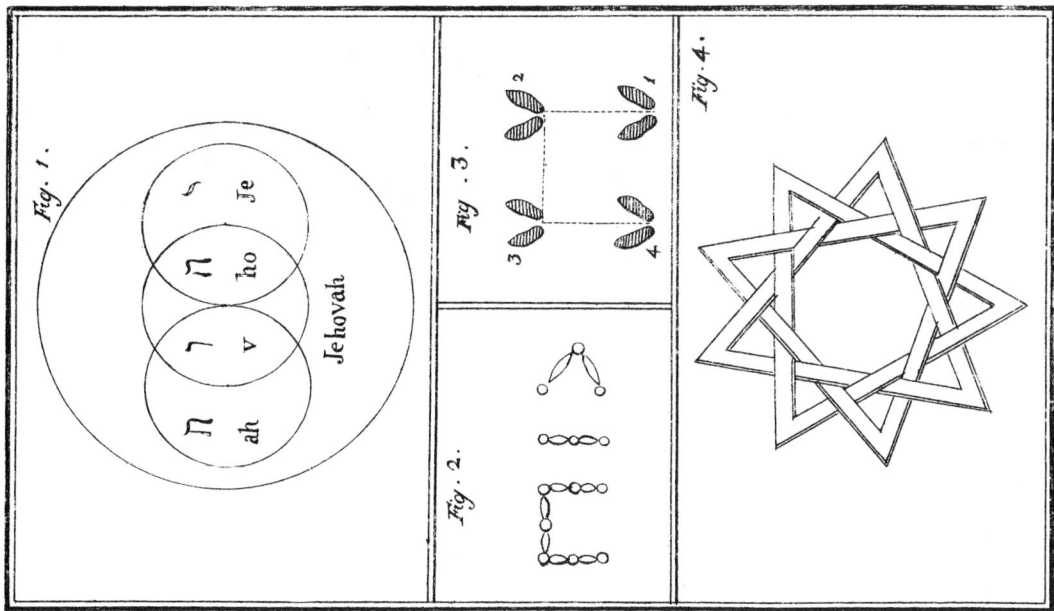

Fig. 1.

ה ו ה י
ah v ho Je

Jehovah

Fig. 2.

Fig. 3.

Fig. 4.

Maurerisches
Handbuch

oder

Darstellung

aller in Frankreich üblichen Gebräuche

der

Maurerei

worin

die Ableitung und Erklärung

aller mysteriösen Worte und Namen von allen
Graden der verschiedenen Systeme
enthalten sind.

Mit einem Auszug der Regeln von der Aussprache der hebräischen
Sprache, aus welcher fast alle Worte entlehnt sind, nebst
einem Kalender der hebräischen Monden, zum
Gebrauch für maurerische Institute.

CAG

Durch

einen Veteran der Maurerei.

Mit 32 Kupfertafeln.

Absque sudore et labore
Nullum opus perfectum est.

Aus dem Französischen.

Leipzig,

im Magazin für Industrie und Literatur,

Maurerisches
HANDBUCH.

48 *IX. + X. + XIV. Grad / Ninth, Tenth and Fourteenth Degrees / IXe – Xe – XIVe degré*

Kupferstich / Copperplate / Estampe en taille douce

II/c	Bild	Print	Image	8,5 × 15,0 cm
	Platte	Plate	Plaque	11,0 × 18,5 cm
	Blatt	Sheet	Feuille	11,7 × 20,5 cm
	Stecher	Engraver	Graveur	–

Aus dem Buch / From the book / Extrait du livre
MAURERISCHES HANDBUCH . . .
Leipzig (nach 1820). (Bes./Colln.: Ldr., Bibliogr.: Wo 33 185 Kl. 2012 Taute 1429)

Figur 1: Im IX. Grad ist auf der Klappe des Schurzes ein Arm mit Dolch dargestellt (S. 74).

Figur 2: Der X. Grad hat einen weißen Schurz mit schwarzem Unterfutter und Besatz; in der Mitte ist eine Stadt im Viereck gemalt, welche Jerusalem vorstellt; hier sieht man drei Tore (S. 76).

Figur 3: XIV. Grad. Der Schmuck – ein goldener Zirkel, über welchem eine goldene Krone liegt. Der Zirkel steht offen auf einem Quadranten mit den Zahlen 3, 5, 7 und 9. Zwischen den Schenkeln befindet sich eine Medaille mit der Sonne, auf der Rückseite der flammende Stern mit dem „G" (S. 89).

Fig. 1: The apron flap of 9° shows a representation of an arm holding a dagger (p. 74).

Fig. 2: In 10° a white apron with black lining and edge is worn; in the centre is a painted representation of a rectangular city, denoting Jerusalem; three (? four: *Transl.*) gates can be seen (p. 76).

Fig. 3: 14°: The jewel is a pair of golden compasses, and above these a golden crown. The compasses are open over a quadrant with the figures 3, 5, 7 and 9. Between the arms of the compasses lies a medallion of the Sun, on the reverse the blazing star enclosing the letter 'G' (p. 89).

Figure 1: Au 9ème degré un bras ensanglante, tenant un poignard à la main, est peint sur la bavette du tablier (p. 74).

Figure 2: Le 10ème degré a un tablier blanc doublé et bordé de noir. Au milieu du tablier est peint une ville carrée, représentant la ville de Jérusalem, dont on voit 3 portes en perspective (p. 76).

Figure 3: 14ème degré. Le bijou est un compas en or, surmonté d'une couronne à pointes, ouvert sur un quart de cercle. Entre les jambes du compas est une médaille représentant, d'un côté le soleil, et de l'autre l'étoile flamboyante, au milieu de laquelle est la lettre G. Sur le quart de cercle sont gravés les chiffres: 3 – 5 – 7 et 9 (p. 89).

Fig. 1.

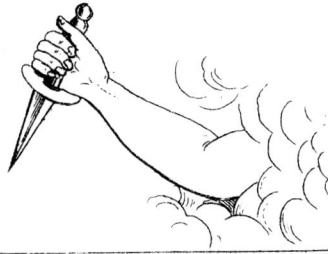

Fig. 2.

Fig. 3.

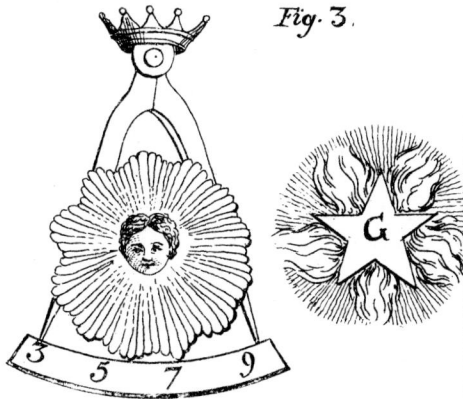

49

Der cubische Stein im XIV. Grad / The Cubical Ashlar in the Fourteenth Degree /
La pierre cubique au XIVème degré

50

Kupferstich / Copperplate / Estampe en taille douce

Bild	Print	Image	8,5 × 15,0 cm
Platte	Plate	Plaque	11,0 × 18,5 cm
Blatt	Sheet	Feuille	11,7 × 20,5 cm
Stecher	Engraver	Graveur	—

51

52

II/c

Aus dem Buch / From the book / Extrait du livre
MAURERISCHES HANDBUCH ...
Leipzig (nach 1820). (Bes./Colln.: Ldr., Bibliogr.: Wo 33 185 Kl. 2012 Taute 1429)

XIV. Grad — Geheiligtes Gewölbe. Unter diesem Gewölbe findet sich der kubische Stein. Tab. IX — X — XI
— XII (S. 86).

14th Degree: The Sacred Vault. Under this vault the cubical ashlar is found. Tab. IX, X, XI, XII (p. 86).

XIV degré: La voûte sacrée. On trouve sous cette voûte la pierre cubique.

Grand Ecossais de la voûte sacrée Pierre cubique 1ère face	Pierre cubique Côté droit
Pierre cubique Côté gauche.	Pierre cubique dessus dernière face

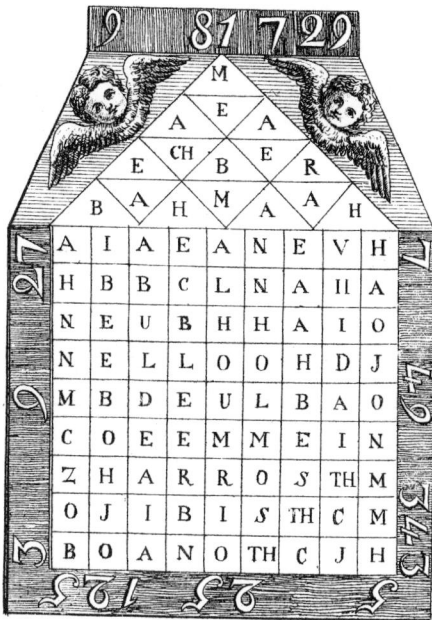

Groß-Schotte des heiligen Gewölbes.
Cubischer Stein.

1ste Ansicht.

49▲

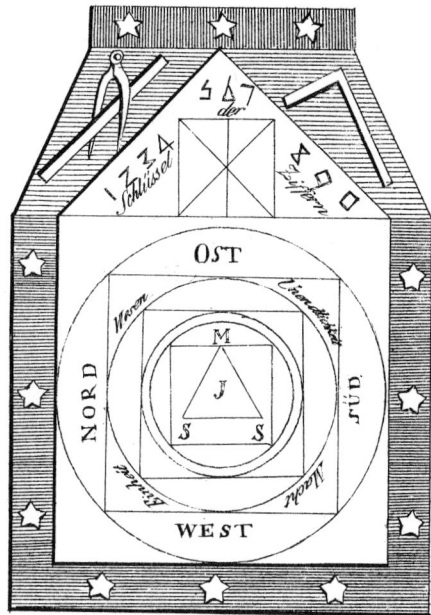

Cubischer Stein.
Rechte Seite.

50▲

51▼

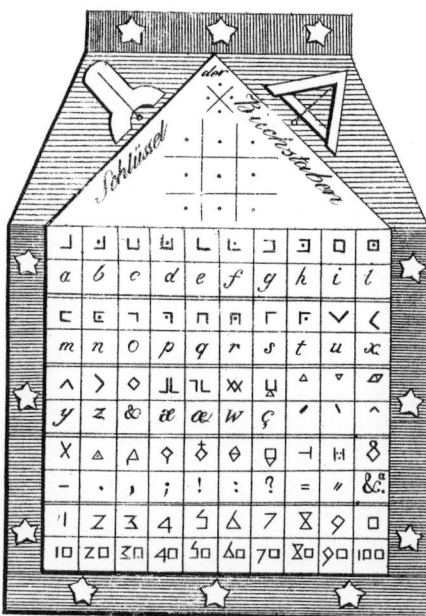

Cubischer Stein.
Linke Seite.

52▼

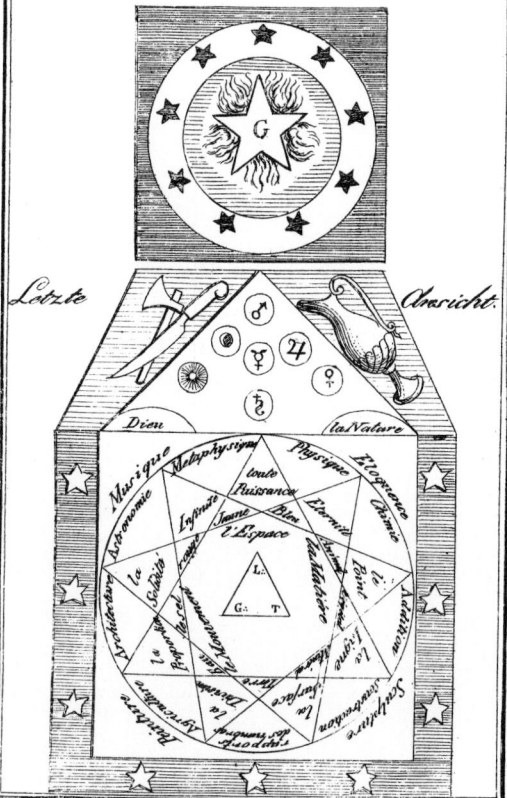

Cubischer Stein
oben.

Letzte   Ansicht.

53
54
55

XVIII. Grad / *Eighteenth Degree* / *Le XVIIIème degré*

Kupferstich / Copperplate / Estampe en taille douce

Bild	Print	Image	8,5 × 15,0 cm
Platte	Plate	Plaque	11,0 × 18,5 cm
Blatt	Sheet	Feuille	11,7 × 20,5 cm
Stecher	Engraver	Graveur	—

II/c Aus dem Buch / From the book / Extrait du livre
MAURERISCHES HANDBUCH . . .
Leipzig (nach 1820). (Bes./Colln.: Ldr., Bibliogr.: Wo 33 185 Kl. 2012 Taute 1429)

53: Tab. XIII zeigt den Logenabriß des ersten Zimmers des 18. Grades der Rosenkreuzer (S. 98 u. 99).

54: Tab. XIV: Hier ist der Text nicht ganz klar, oder der Logenabriß für das zweite und dritte Zimmer ist gleich (S. 99).

55: Tab. XV. bringt den Schmuck, ein Zirkel mit einer Krone, auf einen Quadranten gestellt; auf einer Seite ein Pelikan, auf der anderen ein Adler; zwischen beiden Sinnbildern erhebt sich ein Kreuz, an welchem sich eine Rose befindet (S. 102).

53: Tab. XIII shows the plan or Tracing Board of the First Chamber of the 18° of the Princes of the Rose-Croix (pp. 98/99).

54: Tab. XIV. The text ist not clear; possibly the Tracing Board is the same for the Second and Third Chambers (p. 99).

55: Tab. XV shows the Jewel, consisting of a pair of compasses surmounted by a crown, standing upon a quadrant. On one side there is a Pelican, on the other an Eagle. Between the two emblems rises a Cross, upon which is placed a Rose (p. 102).

53: Au milieu de la Salle est le tracé de la Loge (18ème degré souverain prince Rose-Croix). Premier appartement (p. 98 et 99).

54: Ici le texte n'est pas très clair. Le texte français (Clavel) dit: La seconde chambre représente un lieu de réprobation; La troisième est tendue de rouge. Sur le pavé est le tracé de la Loge. (p. 99).

55: Le bijou, qui est un compas couronné, posé sur un quart de cercle; entre les branches du compas, d'un côté est un pélican, de l'autre un aigle, entre ces deux emblèmes s'élève une croix sur laquelle est une rose (p. 102).

Abriß der Loge der Souv: Pr: R:
Erstes Zimmer.

53▲

Abriß der Loge der Souv: Pr: Rosen:
Zweites Zimmer.

54▲

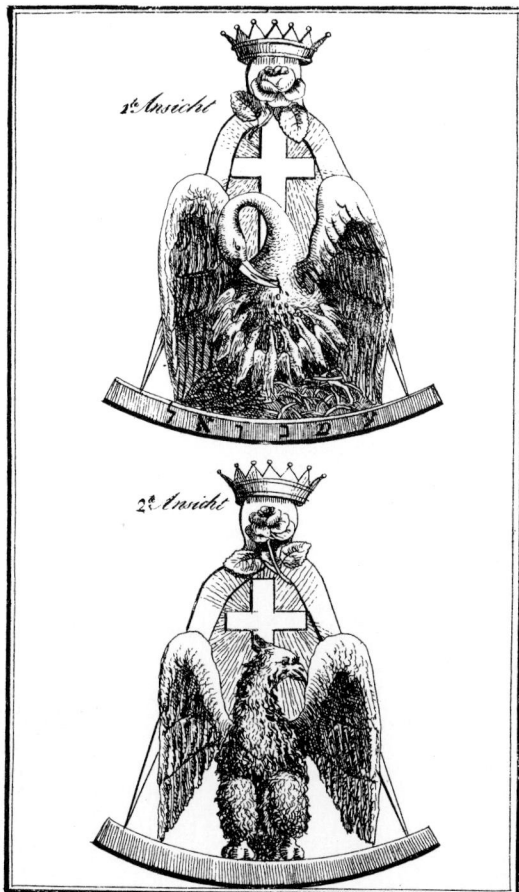

55▶

56

57

II/c

XXVII. + XXVIII. Grad / Twenty-seventh and Twenty-eighth Degrees / Le XXVII ème et le XXVIII ème degré

Kupferstich / Copperplate / Estampe en taille douce

Bild	Print	Image	8,5 × 15,0 cm
Platte	Plate	Plaque	11,0 × 18,5 cm
Blatt	Sheet	Feuille	11,7 × 20,5 cm
Stecher	Engraver	Graveur	—

Aus dem Buch / From the book / Extrait du livre
MAURERISCHES HANDBUCH . . .
Leipzig (nach 1820). (Bes./Colln.: Ldr., Bibliogr.: Wo 33 185 Kl. 2012 Taute 1429)

56: Tab. XVI erklärt das weiße Ordensband des 27. Grades. Es ist mit roten Schnürchen eingefaßt. An der Spitze hängt der Schmuck; auf beiden Seiten sind die vier Commandeur-Kreuze rot gestickt. Darunter ist das Ordenskreuz dieses Grades abgebildet (S. 126).

57: Tab. XVII legt den Logenabriß des 28. Grades dar. Die Sonne im Dreieck erleuchtet das ganze Zimmer (S. 129). Im Text wird erwähnt, daß in einigen Logen die Sonne durch eine beleuchtete Kugel ersetzt wird. Vgl. hierzu 82.

56: Tab. XVI explains the white collar of the 27°. It is edged with a red cord. The Jewel is suspended from its point; on both sides the four Commander's Crosses are embroidered in red. Below is illustrated the Cross of the Order of this Degree (p. 126).

57: Tab. XVII represents the Plan or Tracing Board of the 28°. The Sun in the triangle illuminates the whole Chamber (p. 129). The text states that in some Lodges the Sun is replaced by an illuminated sphere (cf. 82).

56: Tab. XVI montre le cordon du 27ème degré: cordon blanc liseré de rouge. A la pointe du cordon est suspendu le bijou; des deux cotés sont brodées en rouge les quatre croix de Commandeur. En-dessous est montrée la croix du grade de l'ordre (p. 126).

57: Tab. XVII montre le tracé de la Loge au 28ème degré. Le local n'est éclairé que par la seule lumière d'un soleil transparent, placé au-dessus de la tête du président (p. 129). Dans quelques loges, au lieu d'un soleil en transparent, on place sur l'autel une grande lumière derrière un globe de verre rempli d'eau. A rapprocher dc 82.

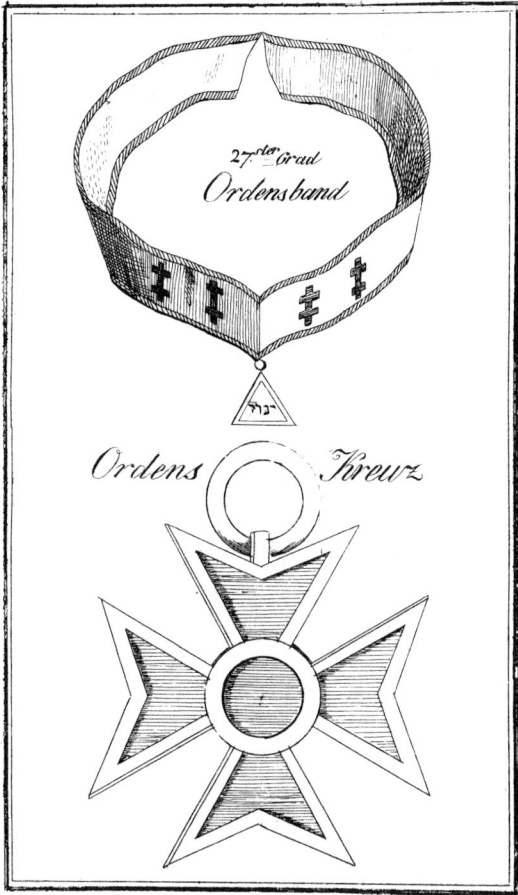

27ster Grad
Ordensband

Ordens Kreuz

Abriß der Loge
der Sonnen-Ritter.

Spiritus

Anima

Stibium

58

59

II/c

XXX. und XXXII. Grad / Thirtieth and Thirty-second Degrees / Le XXXème et le XXXIIème degré

Kupferstich / Copperplate / Estampe en taille douce

Bild	Print	Image	8,5 × 15,0 cm
Platte	Plate	Plaque	11,0 × 18,5 cm
Blatt	Sheet	Feuille	11,7 × 20,5 cm
Stecher	Engraver	Graveur	—

Aus dem Buch / From the book / Extrait du livre
MAURERISCHES HANDBUCH . . .
Leipzig (nach 1820). (Bes./Colln.: Ldr., Bibliogr.: Wo 33 185 Kl. 2012 Taute 1429)

58: Tab. XVIII, Figur 1 und 2: Der Schmuck — ein zweiköpfiger schwarzer Adler, der eine Krone trägt und mit seinen Klauen einen Dolch hält. Außerdem ein Kreuz; in der Mitte desselben ist ein perlmutternes Medaillon, auf dessen einer Seite erblickt man die Buchstaben J∴M∴ und auf der anderen einen Totenkopf, mit quer durchgehendem Dolch (S. 143). Figur 3: Einige Ritter lassen auf ihren Schurz noch eine Leiter mit zwei Auftritten, die über eine dreiköpfige Schlange gestellt ist, sticken.

59: Tab. XIX. Das Lager des 32. Grades. „Eine Balustrade theilet den Saal in zwei Abtheilungen, Ost und West. Vor der Balustrade, in der Westabtheilung, befindet sich die Abbildung vom Lager der Prinzen" S. 149).

58: Tab. XVIII, Fig. 1 and 2: the Jewel, a double-headed black Eagle wearing a crown and holding a dagger in its talons. Further, a Cross bearing a central medallion of mother-of-pearl with, on one side the characters J∴M∴, and on the other a death's head pierced obliquely by a dagger (p. 143). Fig. 3: Some of the Knights additionally have their Aprons embroidered with a Ladder of two flights, standing upon a three-headed Serpent.

59: Tab. XIX: Encampment of the 32°. 'A balustrade divides the Hall into two compartments, East and West. In front of the balustrade, in the western compartment, is a representation of the Encampment of the Princes' (p. 149).

58: Tab. XVIII: Les figures 1 et 2 représentent le bijou, un aigle noir à deux têtes, portant une couronne et ayant un poignard dans les serres. On peut porter, au lieu de ce bijou, une croix émaillée qui a été faite pour cet Ordre; elle porte au centre un médaillon en nacre de perle, sur un des côtés on voit les lettres J et M et sur l'autre une tête de mort, traversée d'un poignard (p. 143). Figure 3: Il y a quelques chevaliers qui font broder sur le tablier l'échelle à 2 montants, posée sur un serpent à 3 têtes.

59: Tab. XIX. Camp du 32ème degré. «Une balustrade divise la salle en deux parties, est et ouest. En avant de la balustrade, dans la partie de l'ouest, est le tableau du camp des princes» (p. 149).

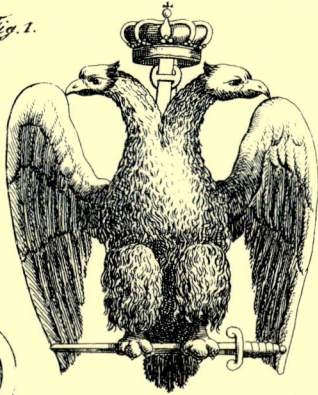

Fig. 1.

Fig. 2.

Fig. 3.

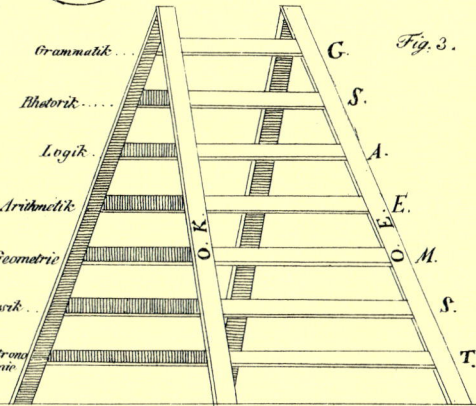

Grammatik.....   G.

Rhetorik.....   S.

Logik.   A.

Arithmetik.   E.

Geometrie   M.

Musik.   S.

Astronomie   T.

LAGERSTELLUNG.

der erhabenen Prinzen

des königlichen Geheimnisses.

60

IV. Grad / Fourth Degree / Le IV ème degré

II/d Kupferstich / Copperplate / Estampe en taille douce

Bild	Print	Image	8,5 × 15,0 cm
Platte	Plate	Plaque	11,0 × 18,5 cm
Blatt	Sheet	Feuille	11,7 × 20,5 cm
Stecher	Engraver	Graveur	—

Aus dem Buch / From the book / Extrait du livre
MAURERISCHES HANDBUCH ...
Leipzig (nach 1820). (Bes./Colln.: Ldr., Bibliogr.: Wo 33 185 Kl. 2012 Taute 1429)

Dieses französische System hat sieben Grade, welche Ähnlichkeiten mit dem vorherigen alten und angenommenen System haben. Der Text zu diesem Stich lautet auf Seite 164: „Das zweite Zimmer ist die dunkle Kammer oder Höhle. Diese Kammer stellt eine dürre Wüste vor. In dem einen Winkel ist ein abgelegenes Plätzchen, in Gestalt einer in den Fels gehauenen Höhle, in welche man auf neun Tritten hinunter zu steigen glaubt. In der Höhle selbst befindet sich eine angezündete, auf einen hervorragenden Stein gesetzte Lampe. In der Höhle rechts ist eine Wasserquelle, die längs dem Felsen herab rieselt. Nahe bei der Höhle wird man den Spürhund gewahr. In der Entfernung sieht man zwei Menschen, die verfolgt zu seyn scheinen, sich flüchten; sie sind nahe dran, von zwei andern bewaffneten Männern eingeholt zu werden; sie stürzen sich in eine Schlucht."

This French System is composed of seven Degrees which have similarities with the A & ASR preceding this section. The text relating to this engraving reads as follows (p. 164): "The Second Chamber is the darkened room or Cave. This Chamber represents an arid desert. In one corner there is a remote place in the form of a cavern hollowed out of the rock, into which one is given to believe one has to descend by nine steps. In the cavern itself there is a lighted lamp placed upon a projecting stone. At the right of the cavern there is a spring of water flowing down the rock. Near the cave one discerns a dog following a scent. In the distance two men are seen who appear to be fleeing from pursuit; two armed men have nearly caught up with them; they are about to throw themselves into a gorge."

Ce rite français a 7 grades qui ont des similitudes avec le Rite ancien et accepté. Nous lisons le commentaire suivant p. 164 se rapportant à cette gravure: «Le second appartement est la chambre obscure ou caverne. Cette chambre représente un désert aride. Dans un des angles, est un réduit qui figure une caverne, taillée dans le roc, où l'on est sensé descendre par 9 marches rustiques. Il y a, dans la caverne, une lampe allumée, posée sur une pierre avancée. A droite de la caverne est une source d'eau qui filtre le long des rochers. Près de la caverne on voit un chien en quête. Dans le lointain sont 2 hommes qui fuient, étant poursuivis; ils sont près d'être atteints par 2 autres hommes armés; ils se précipitent dans une fondrière».

61

II/d

V. Grad / *Fifth Degree* / *Le V ème degré*

Kupferstich / Copperplate / Estampe en taille douce

Bild	Print	Image	8,5 × 15,0 cm
Platte	Plate	Plaque	11,0 × 18,5 cm
Blatt	Sheet	Feuille	11,7 × 20,5 cm
Stecher	Engraver	Graveur	—

Aus dem Buch / From the book / Extrait du livre
MAURERISCHES HANDBUCH . . .
Leipzig (nach 1820). (Bes./Colln.: Ldr., Bibliogr.: Wo 33 185 Kl. 2012 Taute 1429)

Der Text zum V. Grad gibt kaum eine Erklärung. Tab. XXII zeigt den brennenden Dornbusch — den geöffneten Zirkel über den Zahlen 3, 5, 7, 9 — der Sonnenstrahl fällt senkrecht in das „heilige Gewölbe" — den Tisch mit Weinkanne, Kelch, Lampe und Räuchergefäß — das „steinerne Meer". (Ein Faß wird in der Loge zur Fußwaschung benutzt).

The text relating to the Fifth Degree hardly explains this. Tab. XXII shows the burning bush — open compasses over the figures 3, 5, 7, 9 — the sun's ray strikes vertically into the 'Sacred Vault' — the table with flagon of wine, cup, lamp and censer — the 'Brazen Sea'. (A barrel is used in Lodge to wash the feet).

Le texte n'est guère explicite. La planche XXII montre le buisson ardent, — un compas ouvert au-dessus des nombres 3, 5, 7, 9 — le rayon de soleil tombe verticalement dans la «voûte sacrée» — la table portant la burette, la coupe, la lampe et la cassolette — la «mer d'airain». (Dans la Loge on utilise un tonneau pour le lavement des pieds.)

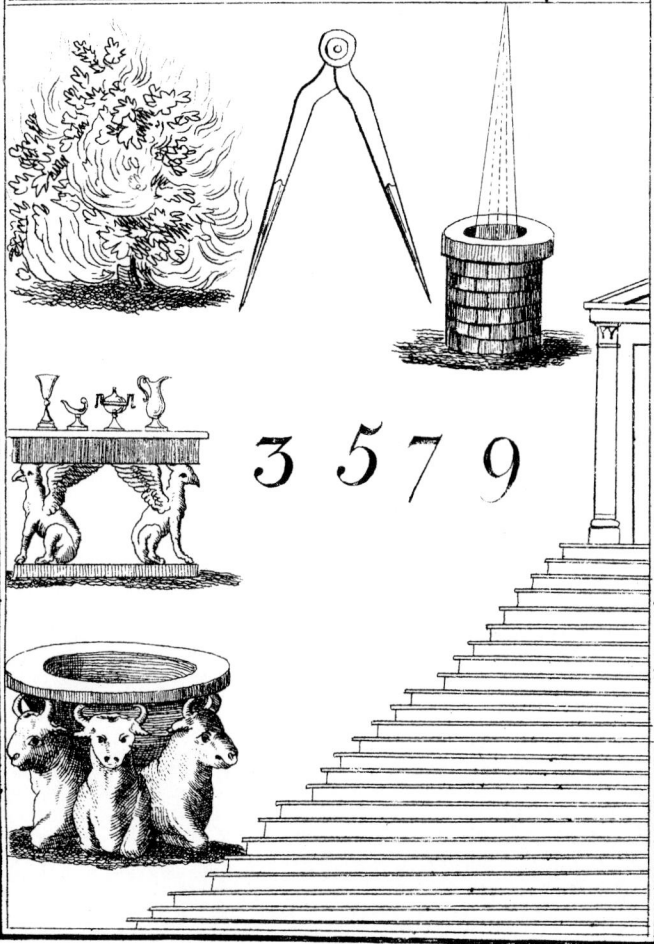

Schotte. Französisches System
Abriß der Loge.

3 5 7 9

62

VI. Grad / Sixth Degree / Le VI ème degré

Kupferstich / Copperplate / Estampe en taille douce

Bild	Print	Image	8,5 × 15,0 cm
Platte	Plate	Plaque	11,0 × 18,5 cm
Blatt	Sheet	Feuille	11,7 × 20,5 cm
Stecher	Engraver	Graveur	—

Aus dem Buch / From the book / Extrait du livre
MAURERISCHES HANDBUCH . . .
Leipzig (nach 1820). (Bes./Colln.: Ldr., Bibliogr.: Wo 33 185 Kl. 2012 Taute 1429)

Der Text zu Tab. XXIII lautet auf Seite 174: „Hinter dem Throne ist ein Transparent, den Traum des Cyrus vorstellend; nämlich: ein brüllender Löwe, im Begriff auf den König loszuspringen; über dem Throne eine strahlende Glorie, die Wolken quer durchschneidend; aus der Mitte der Glorie kommt ein Adler heraus, der in seinem Schnabel ein flatterndes Band hält, worauf man folgende Worte liest: ‚Rends la libertée aux captifs!' (Gib den Gefangenen die Freiheit!) Unterhalb der Wolken sind zu sehen: Nabuchodonosor, zur Hälfte noch in ein Thier verwandelt, und Balthazar, sein Sohn, Vorgänger des Cyrus, in Ketten gefesselt.

Das innere Viereck des Consilium wird durch eine Mauer gebildet, die angeblich aus Backsteinen errichtet und mit sieben Thürmen versehen ist. Diese Mauer hat aber nur drei Seiten; denn der Hintergrund des Saales macht die vierte aus."

The text relating to Tab. XXIII (p. 174) reads as follows: "Behind the Throne there is a transparent or scroll representing the dream of Cyrus; *viz* a roaring Lion, about to spring upon the King; above the Throne a blazing Glory, cutting obliquely through the clouds; from the centre of the Glory flies an Eagle, holding a fluttering ribbon in his beak, on which the following words may be read: 'Rends la liberté aux captifs!' ('Free the captives!'). Below the clouds may be seen: Nebuchadnezzar, still partly changed into an animal, and Balthasar, his son, Cyrus' predecessor, in chains.

The inner rectangle of the Council Chamber is formed by a wall, which is reputed to be built of brick and contains seven towers. This wall has however but three sides, for the rear of the Hall forms the fourth."

Le texte accompagnant cette planche nous dit: «. . . Derrière le trône est un transparent, représentant le rêve de Cyrus, c'est-à-dire un lion rugissant, prêt à s'élancer sur le roi; au-dessus, on voit une gloire éclatante pénétrant à travers les nuages; du milieu de la gloire sort un aigle portant en son bec une banderole, sur laquelle on lit ces mots: «Rends la liberté aux captifs!» Au-dessous des nuages est représenté un Nabuchodonosor, encore à moitié changé en bête, et Balthazar, son fils, prédécesseur de Cyrus, chargé de chaînes.

Le carré intérieur du Conseil est formé par une muraille qui est censée être construite en briques, garnie de 7 tours. Cette muraille n'a que 3 côtés, parce que le fond de la salle fait le quatrième.»

Fig. 1.

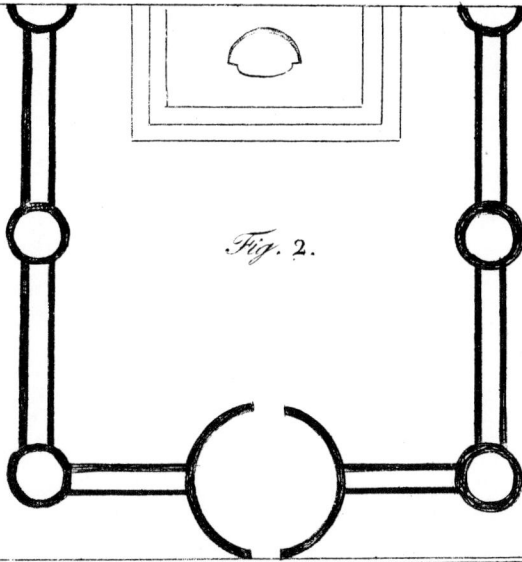

Fig. 2.

63

Frontispiz / Frontispiece / Frontispice

Kupferstich / Copperplate / Estampe en taille douce

II/e

Bild	Print	Image	9,0 × 14,6 cm
Platte	Plate	Plaque	—
Blatt	Sheet	Feuille	9,8 × 17,3 cm
Stecher	Engraver	Graveur	—

Aus dem Buch / From the book / Extrait du livre
ALLERNEUESTE ENTDECKUNG DER VERBORGENSTEN GEHEIMNISSE . . .
Bln. 1768. (Bes./Colln.: Ldr., Bibliogr.: Wo 29 989 Kl. 1899, 1900, Taute 1357, 1358)

Dieser Stich erschien so anregend im Aufbau und Inhalt, auch der Versuch des Stechers, die sieben Stufen —
Gewölbe — Pyramide plastisch wiederzugeben, daß er mit der Titelseite zusammen aufgenommen wurde:
vor allem aber, nachdem sich jetzt herausstellte, daß dieses Frontispiz hier der Teppich des V. Grades des
„System der Loge Du Bon Pasteur" ist. Vergleiche den gleichlautenden Artikel von Dr. Thalmann im
II. Band „Das Freimaurer Museum", Seite 109 f.

This engraving seemed so interesting in its composition and content, as also in the engraver's attempt to
produce a plastic representation of the seven steps, the vault and the pyramid, that it is here reproduced
together with the title page. This interest is increased by the discovery that this frontispiece is identical with
the carpet (Tracing Board) in the 5° of the "System of Lodge Du Bon Pasteur" (The Good Shepherd); *cf.* an
article by Dr Thalmann under this title in vol II 'Das Freimaurer Museum' p. 109 *et seq.*

Cette gravure est apparue tellement intégrée au plan et contenu de cet ouvrage, que la volonté du graveur de
reproduire en volume les escaliers, la voute ainsi que la pyramide, que cette gravure a été reproduite en
même temps que la page de titre. D'autant plus qu'il est apparu que ce frontispice représente le tapis du
5ème grade du «système de la Loge du Bon Pasteur». A comparer avec l'article écrit à ce sujet par le
Dr. Thalmann dans le tome 2 de son «Freimaurer Museum», p. 109 et suivantes.

64

„Sinnbilder der Kupfertafel" / *"Symbols of the brazen Plate"* / *«Images symboliques de la table en cuivre»*

II/e Kupferstich / Copperplate / Estampe en taille douce

Bild	Print	Image	20,7 × 15,0 cm
Platte	Plate	Plaque	—
Blatt	Sheet	Feuille	22,5 × 17,3 cm
Stecher	Engraver	Graveur	—

Aus dem Buch / From the book / Extrait du livre
ALLERNEUESTE ENTDECKUNG DER VERBORGENSTEN GEHEIMNISSE . . .
Bln. 1768. (Bes./Colln.: Ldr., Bibliogr.: Wo 29 989 Kl. 1899, 1900, Taute 1357, 1358)

Erläuterungen zum Kupferstich gibt das Buch auf Seite XIII — XVI wie folgt, jedoch stark gekürzt: „Fig. 1: Der Acacienbaum; 2: Die Gefangenschaft; 3: Der Traum des Cyrus; 4: Winkelmaaß und Zirkel; 5: Die Bundeslade; 6: Dreyfache Triangel; 7: Sieben Siegel; 8: Altar mit den Schaubroten; 9: Der Räucheraltar; 10: Der siebenarmige Leuchter; 11: Zehn Gefässe; 12: Opferaltar; 13: Die Büchse mit dem Räucherwerk; 14: Mannagefäß; 15: Die zwölf Stiere, worauf das eherne Meer ruhete; 16: Die zwölf Apostel; 17: LDP = Hindernisse aus dem Weg geräumt, und freyen Uebergang (Liberté De Passer); 18: Das Heiligtum; 19: Die Ringmauer; 22. Viereck der Loge des Ritters vom Degen."

This engraving is explained on pp. XIII–XVI of the book, as follows (but greatly abridged): "Fig. 1: The Acacia Tree; 2: The Captivity; 3: The Dream of Cyrus; 4: Square and Compasses; 5: The Ark of the Convenant; 6: The threefold Triangle; 7: The Seven Seals; 8: Altar with Shewbread; 9: The Altar of Incense; 10: The seven-branched Candelabra; 11: Ten Vessels; 12: Altar of Sacrifice; 13: The Censer; 14: The Vessel of Manna; 15: The twelve Oxen bearing the Brazen Sea; 16: The Twelve Apostles; 17: LDP = Obstacles removed, and free passage given (Liberté De Passer); 18: Holy of Holies; 19: The Encircling Wall; 22: Rectangle of the Lodge of the Knight of the Sword."

L'ouvrage donne les explications très résumées p. XIII–XVI. «1: L'acacia; 2: la captivité; 3: le rêve de Cyrus; 4: équerre et compas; 5: l'arche de l'Alliance; 6: le triple triangle; 7: sept sceaux; 8: autel avec les pains de proposition; 9: l'autel des parfums; 10: le chandelier à 7 branches. 11: Dix récipients; 12: l'autel des sacrifices; 13: la cassolette avec l'encens; 14: le vase contenant la manne; 15: les 12 taureaux sur lesquels repose la mer d'airain; 16: les 12 apôtres; 17: L. P. D. = les obstacles sont éloignés du chemin; (Liberté De Passer); 18: le Saint des Saints; 19: le mur d'enceinte; 22: Carré de la Loge des Chevaliers de l'Epée.»

Page I.

fig.18.

fig.11.

fig.13.

fig.12.

fig.5.

fig.9.

fig.10.

fig.14.

fig.8.

fig.16.

fig.17.

fig.1.

fig.2.

Rend la liberté aux captifs

fig.3.

fig.4.

Fleuve Stanislaveni

fig.19.

fig.22.

fig.21.

65   *Wappen der VII. Stufe / Arms of the Seventh Degree / Armoirie du 7ème échelon*

II/e

Kupferstich / Copperplate / Estampe en taille douce

Bild	Print	Image	4,5 cm ⌀
Platte	Plate	Plaque	—
Blatt	Sheet	Feuille	—
Stecher	Engraver	Graveur	—

Aus dem Buch / From the book / Extrait du livre
ALLERNEUESTE ENTDECKUNG DER VERBORGENSTEN GEHEIMNISSE . . .
Bln. 1768. (Bes./Colln.: Ldr., Bibliogr.: Wo 29 989 Kl. 1899, 1900, Taute 1357, 1358)

66   *Logensiegel der VII. Stufe / Lodge Seal of the Seventh Degree / Sceau de la Loge du 7ème échelon*

II/e

Kupferstich / Copperplate / Estampe en taille douce

Bild	Print	Image	3,4 cm ⌀
Platte	Plate	Plaque	—
Blatt	Sheet	Feuille	—
Stecher	Engraver	Graveur	—

Aus dem Buch / From the book / Extrait du livre
ALLERNEUESTE ENTDECKUNG DER VERBORGENSTEN GEHEIMNISSE . . .
Bln. 1768. (Bes./Colln.: Ldr., Bibliogr.: Wo 29 989 Kl. 1899, 1900, Taute 1357, 1358)

65: Erklärung des Wappens der siebenten Stufe auf Seite 124: „Auf dem ersten Felde, welches himmelblau ist, befindet sich ein silberner Mond, und goldene Sterne. Auf dem zweyten, welches schwarz ist, ein goldener Triangul und Pfeil."

66: Logensiegel. Bildgröße: 3,4 cm Durchmesser. Der Text hierzu auf Seite 127: „Das kleine schwarze Siegel sämmtlicher Logen, Sinnbild des brüderlichen Beystandes, so allen Söhnen der Witwe des armen Meister Hirams gewidmet ist."

65: Explanation of the Arms of the Seventh Degree (p. 124): "The first ground, which is azure, has a silver Moon and golden Stars. Upon the second, which is black, a golden Triangle and Arrow."

66: Lodge Seal. Print: 3,4 cm diameter. The text (p. 127) reads: "The small black Seal of all Lodges, Symbol of fraternal Assistance, thus dedicated to all the Sons of the Widow of poor Master Hiram."

65: Description des armes du 7ème échelon (p. 124): «Au premier, Azur, lune d'argent étoiles d'or; au second, sable, triangle et flèche d'or.»

66: Sceau de Loge. Diamètre: 3,4 cm. Le texte p. 127 indique: «Le petit sceau noir, de toutes les Loges, image de l'entr'aide fraternelle, dédié à tous les fils de la veuve du pauvre Maître Hiram.»

Erklärung des Wappens.

Auf dem erſten Felde, welches himmelblau
iſt, befindet ſich ein ſilberner Mond, und goldene
Sterne. Auf dem zweyten, welches ſchwarz iſt,
ein goldener Triangul und Pfeil.

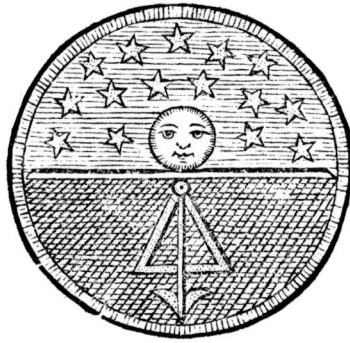

67 Bijou der Noachiten der afrikanischen Freimaurer / Jewel of the Noachites of the African Freemasons / Bijou des Noachites des «Maçons africains»

II/e Kupferstich / Copperplate / Estampe en taille douce
Breite Width Largeur 2,7 cm
Höhe Height Hauteur 3,5 cm

Aus dem Buch / From the book / Extrait du livre
ALLERNEUESTE ENTDECKUNG DER VERBORGENSTEN GEHEIMNISSE . . .
Bln. 1768. (Bes./Colln.: Ldr., Bibliogr.: Wo 29 989 Kl. 1899, 1900 Taute 1357, 1358)

68 Einladung der afrikanischen Freimaurer / Invitation of the African Freemasons / Invitation des «Maçons africains»

II/e Kupferstich / Copperplate / Estampe en taille douce
Breite Width Largeur 6,1 cm
Höhe Height Hauteur 4,9 cm

Aus dem Buch / From the book / Extrait du livre
ALLERNEUESTE ENTDECKUNG DER VERBORGENSTEN GEHEIMNISSE . . .
Bln. 1768. (Bes./Colln.: Ldr., Bibliogr.: Wo 29 989 Kl. 1899, 1900 Taute 1357, 1358)

67: Bijou oder Kleinod der Noachiten oder der Preußischen Ritter ist aus dem Wappen entnommen. Vgl. 65. Bild, nur Dreieck und Pfeil sind schöner ausgeschmückt. „Es muß von Gold seyn, und an einem großen schwarzen Bande, von der rechten Schulter nach der linken hangen."

68: „Die Afrikanischen Freymäurer haben ein besonderes Billet zur Einladung zu ihren Versammlungen, wovon nachstehendes die Vignette ist."

67: Jewel of the Noachites or of the Prussian Knights, *cf.* Plate 65, but Triangle and Arrow are more elaborately drawn. "It must be of Gold, and worn upon a broad black Ribbon, hanging from the right Shoulder to the left."

68: "The African Freemasons have a special Billet for the Invitations to their Meetings, whereof the following is the Vignette."

67: Ce bijou ou joyau des Noachites ou des Chevaliers Prussiens, est tiré de l'armoirie. *Cf.* image 65. La décoration du triangle et de la flèche est plus élaborée. «Il doit être en or, et porté, attaché à un large ruban noir de l'épaule droite vers la gauche.»

68: «Les Francs-Maçons africains utilisent un billet spécial pour inviter à leurs réunions. La vignette ci-contre y figure».

124

Kleinod.

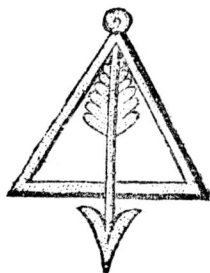

MUSA SUB TEGMINE TUTUS

69

II/f

Das stählerne Dach / The Vault of Steel / La voûte d'acier

Zeichnung von P. Méjanel / Drawing by P. Méjanel / Dessin de P. Méjanel
Größe und Farben nicht feststellbar / Size and colouring not ascertainable / Les dimensions et les
mesures ne sont pas connues

(Bes./Colln.: A. Bouton)

Diese Zeichnung zeigt den Brauch des „stählernen Daches". Hier geschieht es zu Ehren eines Ritters
Kadosch als Abgeordneten des Grand Orient.

This drawing represents the custom of the 'Vault of Steel'. Here it is formed in honour of a Knight Kadosh
entering as Official Delegation of the Grand Orient. *(Translator's Note:* This custom ist still practised in
many 'blue' Lodges belonging to Regular Obediences in Latin countries, *eg* Belgium, to receive
Distinguished Visitors and Delegations.)

Ce dessin montre l'usage de la voûte d'acier. Ici les honneurs sont rendus à un chevalier Kadosch, 30ème,
délégué du Grand'Orient.

70 *Aufnahme im 33. Grad / Reception into the Thirty-third Degree / Réception au 33ème degré*

II/f   Stahlstich / Steel-engraving / Gravure sur acier
        Bild   Print   Image   16,8 × 10,8 cm
        Platte   Plate   Plaque   —
        Blatt   Sheet   Feuille   26,0 × 16,3 cm
        Seigneurgens del. Monnin sculpt.

Aus dem Buch / From the book / Extrait du livre
HISTOIRE PITTORESQUE DE LA FRANC-MAÇONNERIE ...
F.T.B. Clavel, Paris 1843. (Bes./Colln.: Ldr., Bibliogr.: Wo 3813 Kl. 2875)

Zu diesem Bild schreibt Clavel auf Seite 213: „Die Loge oder der Rat des 33. und letzten Grades, genannt Souveräner General-Groß-Inspekteur, ist festlich in Purpur geschmückt; Totenköpfe und Gebeine, kreuzweise übereinander gelegt, sind auf den Wandbehang gestickt. Inmitten des Saales, auf einem viereckigen Sockel, bedeckt mit einem karminroten Teppich, liegt eine geöffnete Bibel und ein Schwert. Im Norden des Sockels ein menschliches, stehendes Skelett, in der linken Hand die weiße Fahne des Templerordens und in der rechten ein Dolch, der erhoben ist, um zuzustoßen."

Clavel's text with reference to this illustration reads as follows (p. 213): "The Lodge or the Council of the Thirty-third and Final Degree, denominated Sovereign Grand Inspector-General, is ceremonially draped in purple; the wallcovering is embroidered with skulls and crossed bones. In the centre of the hall, upon a square pedestal covered with a carmine-red carpet, lies an open Bible and a sword. To the North of the pedestal stands a human skeleton, holding in his left the white flag of the Order of the Templars and in his right a dagger raised for the thrust."

F. T. B. Clavel: Histoire PITTORESQUE DE LA FRANC-MACONNERIE, PARIS 1843, p. 213: «La loge ou suprème conseil du trente-troisième et dernier grade, appelé souverain Grand-Inspecteur général, est tendue en pourpre; des têtes-de-mort et des os en sautoirs sont brodés sur la tenture. Au milieu de la salle, sur un piédestal quadrangulaire couvert d'un tapis cramoisi, est une Bible ouverte et une épeé. Au nord du piédestal, un squelette humain, debout, tient, de la main gauche, le drapeau blanc de l'ordre du temple, et, de la droite, un poignard, qu'il élève comme pour frapper.»

71 *Rosenkreuz-Schurz auf Velour gedruckt / Rose-Croix Apron printed on Velvet / Tablier Rose-Croix sur velours*

II/g Größe Size Mesures 34,0 × 37,0 cm

(Bes./Colln.: FM. Bayreuth)

In der Darstellung und in den Farben einer der schönsten gedruckten Schurze. Auf der Klappe im Strahlenkranz die Inschrift „Jehova". Links die selten vorkommende Wiedergabe der Dornenkrone und rechts die mystische Schlange mit dem Kelch. In der Mitte das Kreuz mit Rosen und Pelikan, der mit seinem Herzblut seine Jungen nährt.

Die Inschrift in stilisierter Geheimschrift eines der Paßworte: „Pax vobis".

Entstehung des Schurzes um 1775.

One of the most beautiful printed Aprons, both as regards representation and colours. On the flap, on the triangle within the Glory, the inscription 'Jehovah'. Left the rare representation of the Crown of Thorns, and right the Mystical Serpent with the Cup. In the centre the Cross with Roses and Pelican feeding its young with its Heart's Blood.

The inscription in stylised cryptic characters gives one of the Passwords: "Pax vobis".

c. 1775

Sa représentation symbolique et ses couleurs en font un des plus beaux tabliers imprimés. Le rabat porte l'inscription Jehova, au milieu d'une couronne rayonnante. A gauche, une reproduction peu commune de la couronne d'épines, à droite le serpent mystique avec le calice, encadrent la croix avex le pélican qui nourrit ses petits avec le sang de son coeur.

La légende en écriture secrète stylisée est un des mots de passe: «Pax vobis».

72 *Rosenkreuz-Schurz auf Leder gedruckt / Rose-Croix Apron printed on Leather / Tablier Rose-Croix imprimé sur cuir*

II/g   Größe   Size   Mesures   31,0 × 30,0 cm

(Bes./Colln.: FM. Museum Bayreuth)

Ein sehr interessanter gedruckter Schurz, der handkoloriert ist. Hierbei überwiegen die Farben Blau — Grün — Gelb. Rot zeigt noch das schlecht erhaltene seidene Einfassungsband.

Das Kreuz mit der Rose und dem Pelikan steht hier auf einem siebenstufigen Podest, welches mit einem Rosen- und Akazienzweig umgeben ist. Beherrschend oben auf der Klappe die Krone. Auf einem Säulenstumpf rechts der goldene Pokal. Im Vordergrund nicht nur die gestürzte Säule des Tempels, sondern auch die zerbrochenen freimaurerischen Werkzeuge.

Provenienz wahrscheinlich Frankreich/Holland, um 1800.

A most interesting printed Apron which was hand-coloured. Blue, green and yellow predominate. The silk edging, in a poor state of preservation, shows traces of red.

The Cross with the Pelican is here placed on a base of seven steps, with a rose branch to one side and a branch of acacia on the other. The flap is dominated by the Crown. The golden Cup on a truncated column at the right. In the foreground we find not only the broken column of the Temple, but also the broken tools of the Mason.

Probable origin: France/Holland, c. 1800.

C'est un tablier imprimé très intéressant, il a été colorié à la main. Les couleurs bleues, vertes, jaunes dominent; le lisére en mauvais état de conservation est rouge.

La croix avec le pélican est dressé sur un socle à 7 degrés, entourée de branches de roses et d'acacias. Le rabat est frappé de la couronne. A droite, la coupe d'or sur une colonne tronquée; au premier plan se trouvent, non seulement la colonne brisée du temple, mais aussi les outils maçonniques brisés (dispersés).

Provenance probable: France/Hollande, vers 1800.

73 *Regensburger Schurz; auf Leder gedruckt / Apron printed on Leather from Regensburg / Tablier de Ratisbonne imprimé sur cuir*

II/g   Größe   Size   Mesures   39,5 × 48,5 cm

(Bes./Colln.: FM. Museum Bayreuth)

Ein Schurz in französischer Art im Braun-Gold-Ton der Mutterloge „Die Wachsende zu den drei Schlüsseln in Regensburg", um 1775.

Dieser Schurz gehört nach Ansicht von Dr. Beyer, Bayreuth, ehemals Direktor des Deutschen Freimaurer-Museums, „zum 6. Grad des Regensburger Systems und vereinigt in sich Abzeichen und Symbole aller Grade mit Ausnahme vom Noachiten. In seiner Mitte ist der siebenarmige Leuchter der Schottengrade zu erkennen."

Diese Angaben erfolgten durch Direktor H. W. Lorenz, Bayreuth.

An Apron in the French manner, in the brown-gold colour of the Mother Lodge "Die Wachsende zu den drei Schlüsseln in Regensburg". c. 1775.

This Apron, according to the former Director of the German Masonic Museum Dr. Beyer, belongs "to the Sixth Degree of the Regensburg System and combines in it the emblems, badges and symbols of all Degrees with the exception of the Noachites. In its centre the seven-branched Candelabra of the Scottish Rite Degrees."

Information supplied by H. W. Lorenz, Director of the FM Museum Bayreuth.

Un tablier, à la mode française, où dominent les tons brun et or de la Loge-mère «Die Wachsende zu den drei Schlüsseln in Regensburg.» Date: 1775 environ.

De l'avis du Dr. Beyer de Bayreuth, ancien directeur du Musée Maçonique allemand, «ce tablier appartiendrait au 6ème degré du système de Ratisbonne, et présente les symboles et insignes de tous les degrés, sauf celui des Noachites. Au milieu on peut distinguer le chandelier à 7 branches des grades écossais.»

Ces renseignements nous ont été donnés par Monsieur le Directeur H. W. Lorenz, Bayreuth.

74

II/h

1. Stich: Gründung des königlichen Ordens AM 4037 / Print 1: Foundation of the Royal Order of the Free Masons in Palestine AM 4037 / 1ère gravure: Fondation de l'Ordre Royal AM 4037

Kupferstich / Copperplate / Estampe en taille douce

Bild	Print	Image	14,4 × 12,0 cm
Platte	Plate	Plaque	18,3 × 16,0 cm
Blatt	Sheet	Feuille	34,5 × 24,5 cm

Signatur am unteren Oval rechts / Signature below oval left / Signature au bas de l'oval à droite
NACH DEM MAURERISCHEN STEIN GESTOCHEN
P. Lambert sculpt. as the act direct 1789 London
P. Lambert
(Bes./Colln.: Loge zur Verbrüderung an der Regnitz, Bamberg)

Dieser und die folgenden fünf Kupferstiche aus dem Besitz der Bamberger Loge stellen die Symbolik eines englischen Hochgrad-Systems des „Ritus der 7 Grade" dar. Näheres darüber siehe: W. Wonnacott in AQC London, Vol. 29, Teil 1 (1928). Bei meinen Erläuterungen beschränke ich mich, wie immer, auf ganz kurze Hinweise.

Zweisprachig rechts und links der etwas ironisch klingende Text: „Sag mir bitte, Bruder, das Geheimnis unserer symbolischen Geschichte. Ich weiß es nicht, sieh dies an." Der Text im Oval ist klar, auch der von altersher bekannte Logengründer St. Alban, auffällig ist nur der Hinweis: „Die Unwissenden nennen mich Hiram."

This and the following five copperplate engravings owned by the Lodge in Bamberg represent the Symbolism of an English Higher Degrees System of the 'Rite of the Seven Degrees'. For details *cf.* W. Wonnacott, AQC London, Vol. XXIX, Part 1 (1928).

Top left and right, in English and French, the somewhat ironical text: "Pray, Br(other), Let's Know the Secret of our Symbolical History. Br(other), Indeed I can't. SEE THIS." The text surrounding the oval is self-explanatory, including the reference to the mythical founder patron of Freemasonry, St. Alban. Note the remark: "The Ignorants Call Me Hiram".

Cette gravure, ainsi que les 5 suivantes, appartenant à la Loge de Bamberg, représentent la Symbolique d'un Rite de Hauts-Grades anglais: le Rite des 7 Grades. Pour de plus amples détails voir: W. Wonnacott dans AQC London, Vol. 29, 1ère partie (1928). Comme d'habitude, je me contente de ne donner pour mes explications que de courtes indications.

A droite et à gauche, le texte d'une consonnance ironique en deux langues: «Dis-moi, Frère, le secret de notre histoire symbolique. Je ne le sais pas. Regarde ceci!» Le texte de l'oval est clair, de même que le fondateur bien connu de la Loge St. Alban. Seule l'indication: «Les ignorants me nomment Hiram» — est étrange.

Pray B.ʳ Let's Know the Secret
of our Symbolical History.
B.ʳ Indeed I can't.
SEE THIS

FOUNDATION OF THE ROYAL ORDER
OF THE FREE MASONS IN PALESTINE A·M· 4037

F.ᵉ Ditte Moi le Secret de
Notre Histoire Simbolique.
F.ᵉ Je ne le Scay pas.
VOYEE CECI

IN DEFENSE OF THE 12 GO'S TO THE FOUR PARTS OF THE WORLD. BUILD TEMPLEs WITH MY WORDS. AND S.ᵗ ALBAN FOR M.ᵉ MY FIRST G.ᵈ LODGE IN BRITAIN A.D. 287. THE IGNORANTS CALL M.ᵉ HIRAM. I.ᴰ CONSPIRED I.² RECANTED 3 MURDERED

PALESTINE
G

DE LOS

1.³ CONSPIRERENT
3. MASSASSINERENT
DU MOMDE BATIR DES TEMPLES
S.ᵗ ALBAN FORME MA PREMIERE G.ᵈᵉ LOGE EN ANGLETERRE
LA SAGE LUMIERE QUI SIPORTE LA PIERRE
DÉDIÉ A TOUS LES FRERES.

I am the LIGHT of Wisdom·
Who Support the Philosophical Masonic Stone

1.² SE RETRACTERENT
LES 12 VONT AU 4 PARTIES
AVEC MES SIGNES ET PAROLES
A·D·287· LES IGNORANTS ME NOMM.ᵗ HIRAM· JE SUIS
PHILOSOPHALE DES SCIENCES MAÇONNIQUES
DÉDICAT.ᴰ TO ALL BRETHREN·

75

II/h

2. Stich: Erinnerung an die Gründung eines freimaurerischen Waisenhauses für Mäd-chen / Print 2: Memorial to the foundation of a Masonic Orphanage for Girls / 2ème gravure: Commémoration de la fondation d'un orphelinat maçonnique pour jeunes filles

Kupferstich / Copperplate / Estampe en taille douce

Bild	Print	Image	14,7 × 12,6 cm
Platte	Plate	Plaque	18,0 × 15,6 cm
Blatt	Sheet	Feuille	35,0 × 24,5 cm

Signatur am Oval unten links / Signature below oval left / Signature au bas de l'ovale
P. Lambert fecit as the act direct London 1789. (Bes./Colln.: Loge Zur Verbrüderung an der Regnitz, Bamberg)

Auf Veranlassung von Br. Ruspini wurde am Tage Maria Verkündigung, dem 25. März 1788, ein freimaurerisches Schul- und Waisenhaus für Mädchen gegründet, welches noch heute besteht. Dargestellt ist ein Freudenfeuer vor den Ruinen des sagenhaften Schlosses Heredom.

Die Mauer ist mit symbolischen Darstellungen — links der drei blauen Grade, in der Mitte eines Rosenkreuzer-Templergrades und rechts eines Kadosh-Grades — bedeckt. Vergleiche hierzu das 100. Bild des dritten Teiles.

Näheres über die Gründung des freimaurerischen Waisenhauses siehe Preston: „Illustrations of Masonry".

Thanks to the initiative of Br. Ruspini, a Masonic School and Orphanage for Girls — still in existence today — was founded on 25 March 1788, on the day of the Annunciation. The engraving shows a festive bonfire before the ruins of the mythical Castle of Heredom.

The walls are covered with the representations of Symbols: left of the three 'blue' Degrees: centre of one of the Knights-Templar/Rose-Croix Degrees; right of one of the Knights-Kadosh Degrees (*cf.* Pl. 100 in Part III).

For particulars of the foundation of the Masonic Orphanage *cf* Preston: "Illustrations of Masonry".

Le 25 mars 1788, le jour de l'Annonciation, fut créé, à l'instigation du F. Ruspini, un orphelinat maçonnique avec une école pour Fillettes, oeuvre qui existe toujours. L'illustration montre un feu de joie, devant les ruines du château mythique de Heredom.

Le mur est couvert de dessins symboliques; à gauche les 3 grades bleus — au milieu un grade Rose-Croix Templier — à droite un grade Kadosh. A comparer avec l'image 100 de la 3ème partie.

Pour de plus amples détails sur l'orphelinat maçonnique voir: Preston: «Illustrations of Masonry.»

A Bonfire before the Ruins of the H·R·D·M· Castle, In Commemoration of the Institution of the Royal, Cumberland Free Mason School on Lady Day the 25th of March 1788.

Under the Auspices of Her *Royal Highness* the *Dutchess of Cumberland* *Patroness*

PROJECTED AND FOUNDED, BY THE HUMANE AND BENEVOLENT B. RUSPINI TREASURER, TO WHOM STILL PLATE IS DEDICATED AS A MONUMENT TO THE CHARITY OF THE BENEFACTORS

LUX EX TENEBRIS

NIGHT

The Light Shone Through the Darkness.

Why does the Sun his glorious Beams display
Within a Mason's Lodge or Moon reflect her Ray
Why doth the Star and Circling G appear,
Why J & B two Pillar ever rear;

Why does the P—r constant bear the sword,
And our true W—n demand the P–s word.
Quick answer make and you'll be justly free,
Entitled to our further Secrecy.

76

3. Stich: Die gekrönte Freimaurerei / Print 3: 'Free Masonry Crown'd'. / 3ème gravure: La Franc-Maçonnerie couronnée

II/h

Kupferstich / Copperplate / Estampe en taille douce

Bild	Print	Image	11,0 × 12,7 cm
Platte	Plate	Plaque	11,4 × 15,0 cm
Blatt	Sheet	Feuille	24,5 × 35,0 cm

Signatur links unten / Signature bottom left / Signature au bas à gauche
P. Lambert, R. A. Roun sculpt. p. Sublime invt.
rechts unten / bottom right / En bas à droite
accordg. to act of parliament = Dem Gesetz entsprechend.
(Bes./Colln.: Loge Zur Verbrüderung an der Regnitz, Bamberg)

Der Stecher Pierre Lambert de Lintôt, geb. 1726, stammte aus Rouen (Fr.). Er war Meister vom Stuhl der Loge „Saint George de l'Observance" und der Loge „Perfect Observance No. 1" sowie stellvertretender Großmeister und Großadministrator des „Ritus der 7 Grade" in London. Auch auf diesem Stich die ausgeprägte Zahlen- und Planetensymbolik dieses Ritus.
Die verschiedenen Hinweise auf das „Neue Jerusalem" lassen auch hier einen Einfluß der Swedenborgianer vermuten.

The engraver Pierre Lambert de Lintôt was born 1726 in Rouen, France. He was Master of Lodge "St. George de l'Observance", and of Lodge "Perfect Observance No. 1" and also Deputy Grand Master and Grand Administrator of the "Rite of the Seven Degrees" in London. On this engraving we find once more references to Greek mythology and to the strong symbolism of numbers and the Planets of this Rite.
The various references to the "New Jerusalem" suggest once more, in this example, Swedenborgian influences.

Le graveur Pierre Lambert de Lintôt, né en 1726, est originaire de Rouen. Il était Vénérable de la Loge «Saint Georges de l'Observance» et de la Loge «Perfect Observance N°1», de même que Grand Maître adjoint et Grand Administrateur du «Rite des 7 Grades» à Londres. Nous voyons à nouveau sur cette image que ce rite est imprégné de la mythologie grecque et de la symbolique des planètes et des chiffres.
Les divers renvois à la «Nouvelle Jérusalem» laissent supposer, ici aussi, l'influence des Swedenborgiens.

OLD AND NEW IERUSALEM BUILDING.
ALPHA OMEGA.

FREE MASONRY CROWN'D.
DEDICATED TO THE LEARNED BROTHERS.

London

77 4. *Stich: Freimaurer am Werk / Print 4:'Free Mason's At Work' / 4ème gravure: Les Francs-Maçons en travail*

II/h   Kupferstich / Copperplate / Estampe en taille douce

Bild	Print	Image	11,0 × 13,0 cm
Platte	Plate	Plaque	—
Blatt	Sheet	Feuille	12,0 × 14,9 cm
Stecher	Engraver	Graveur	P. Lambert R. A. invt. & sculpt.

(Bes./Colln.: Loge Zur Verbrüderung an der Regnitz, Bamberg)

Über dem Oval: „Der erste und letzte Stein der Kirche von Jerusalem". In der Mitte des Bildes die Planetentafel. Im Kreis um die Sonne: „Der Anfang der Weisheit ist die Liebe des Herrn" und die Zahlen entsprechen dem „Alter" des Inhabers des jeweiligen der 7 Grade. Am Sockel der Säule: „Wie sollen wir es finden" — darunter: „durch Arbeit und Erfahrung" — darunter: „SOL'S". Bedeutung nicht geklärt.

In meiner Sammlung befindet sich ein Vorabdruck, bei dem auf dem Sockel nur diese Buchstaben „SOL'S" zu finden sind. Auf der rechten Seite des Sockelfußes: „HRDM".

Above the oval: "First & last Stone of the Ierusalem Church". In the centre of the engraving, the Planetary Chart. In the circle around the Sun: "The beginning of Wisdom is the Love of the Lord", and the figures correspond to the Masonic Age for each of the seven Degrees of the System. On the column pedestal: "How shall I find it", and below this: "By Work and Experience"; below: "SOL'S" (meaning unknown).

The proof in my collection only shows the letters SOL'S on the column pedestal. At the right of the base of the pedestal: "HRDM".

Au-dessus de l'ovale: «La 1ère et la dernière pierre du Temple de Jérusalem». Au milieu de la gravure la carte du ciel. Dans le cercle autour du soleil: «L'Amour du Seigneur est le début de la sagesse» — et les chiffres qui correspondent à «l'âge» du récipiendaire des 7 grades du système. Sur le socle de la colonne: «Comment pouvons-nous le découvrir?» — dessous: «Par le travail et l'expérience» — dessous: «SOL'S»' Le sens n'est pas élucidé.

Il existe dans ma collection une 1ère épreuve où on ne retrouve que ces lettres «SOL'S» sur le socle. Du côté droit du socle: le mot «HRDM».

FIRST & LAST STONE OF THE IERUSALEM CHURCH.

HOW SHALL I FIND IT
BY WORK AND EXPERENCE

FREE MASON'S AT WORK.

DEDICATED TO THE LEARNED BRETHREN

London

from 'The Royal Art Illustrated'; E. J. Lindre, (1976) (for FREEMASONRY)

78

5. *Stich: Widmungsblatt für den Herzog von Cumberland / Print 5: Dedication to the Duke of Cumberland / 5ème gravure: Page dédidacée pour le Duc de Cumberland*

II/h   Kupferstich / Copperplate / Estampe en taille douce

Bild	Print	Image	13,3 × 18,0 cm
Platte	Plate	Plaque	20,2 × 25,0 cm
Blatt	Sheet	Feuille	24,5 × 34,5 cm
Stecher	Engraver	Graveur	P. Lambert, R. A., Rouen inventd. & sculpsit

Signatur links unten / Signature bottom left / Signature au bas à gauche
by Lambert de Lintot Mr of the Lodge No. 53
(Bes./Colln.: Loge Zur Verbrüderung an der Regnitz, Bamberg)

Oberhalb des Ovals: „Großauserwählter". Links auf dem Regenbogen in hebräischen Buchstaben: „Wer ist wie du unter den Göttern, o Herr, IHVH". Links unten am Säulenfuß römisch die Zahl 81, die Leiter mit Hinweis auf den Kadosh-Grad, rechts daneben Symbole aus dem Royal-Arch-Grad dieses Ritus. Rechts oben im strahlenden Kreis ein Viereck mit einer eingeschriebenen Pyramide, darauf der Buchstabe E (Emeth = Wahrheit).

Above the oval: "Grand Elect'd". Left on the rainbow, in Hebrew characters: "Who is like unto Thee amongst the gods, O Lord, IHVH". Bottom left on the column pedestal the Roman numeral 81, the ladder referring to the Degree of Knight-Kadosh; right of this symbols from the Royal Arch Degree of this Rite. Upper right: in an irradiated circle a square with an inscribed pyramid, with the letter E (Emeth = Truth).

Au-dessus de l'ovale: «Grand Elu». — A gauche, sur l'arc-en-ciel, en lettres hébraïques: «Qui es-tu parmi les dieux, oh Seigneur, IHVH». A gauche en bas, sur le pied de la colonne, le chiffre romain 81, l'échelle avec l'indication du grade Kadosh, à droite, les symboles du grade Royal-Arch de ce Rite. En haut, à droite, au milieu du cercle flamboyant, un carré encadrant une pyramide, sur laquelle se trouve la lettre E (Emeth = vérité).

GRAND LODGE ICH DIEN of ENGLAND

GRAND ELECT'D

DEDICATED TO HIS ROYAL HIGHNESS
THE DUKE OF CUMBERLAND
GRAND MASTER

DEDIE A SON ALTESSE ROYALLE
Mr LE DUC DE CUMBERLAND
GRAND MAITRE

79 *6. Stich: Kapitel und Großloge von England / Print 6: 'Chapter and Grand Lodge of England' / 6ème gravure: Chapître et Grande Loge d'Angleterre*

II/h Kupferstich / Copperplate / Estampe en taille douce

Bild	Print	Image	17,6 × 18,5 cm
Platte	Plate	Plaque	18,8 × 19,7 cm
Blatt	Sheet	Feuille	24,5 × 35,0 cm
Stecher	Engraver	Graveur	Lambert sculpt.

Publisd. as the act direct London 1789
(Bes./Colln.: Loge Zur Verbrüderung an der Regnitz, Bamberg)

Der interessanteste Stich dieser Bamberger Reihe zeigt die sehr reichhaltige Symbolik der einzelnen Grade dieses Ritus. Ein Großteil der Symbole, Zahlen und Worte finden sich in heute noch existierenden Hochgradsystemen, z. B. Royal Arch, Knights Templar, AASR 13., 17., 18., 19. und 30. Grad. Es ist gelungen, die Geheimschriften zu entziffern. Es wurden vier verschiedene Schlüssel gefunden. (Näheres siehe: AQC Bd. III, 1890, s. S. 36—37.)

This is the most interesting of the Bamberg engravings; it shows the rich symbolism of the various Degrees of this Rite. A majority of the symbols, numbers and words are still to be found today in existing Higher Degrees Systems, e. g. Royal Arch, Knights Templar, A&ASR 13°/17°/18°/19°/30°. The coded texts have been deciphered; four different keys have been used. (v. AQC Vol. III, 1890 pp. 36—37.)

La gravure la plus intéressante de cette série de Bamberg, nous montre la riche symbolique des divers grades de ce rite. Une grande partie des symboles, des chiffres et des mots se retrouve dans des Hauts-Grades actuels, par exemple: Royal Arch, Knights Templar, AASR 13ème, 17ème, 18ème, 19ème et 30ème grade. Ces signes secrets ont été déchiffrés, 4 différentes clés ont été trouvées. (Pour de plus amples détails voir: AQC Vol. III, 1890, pp. 36—37.)

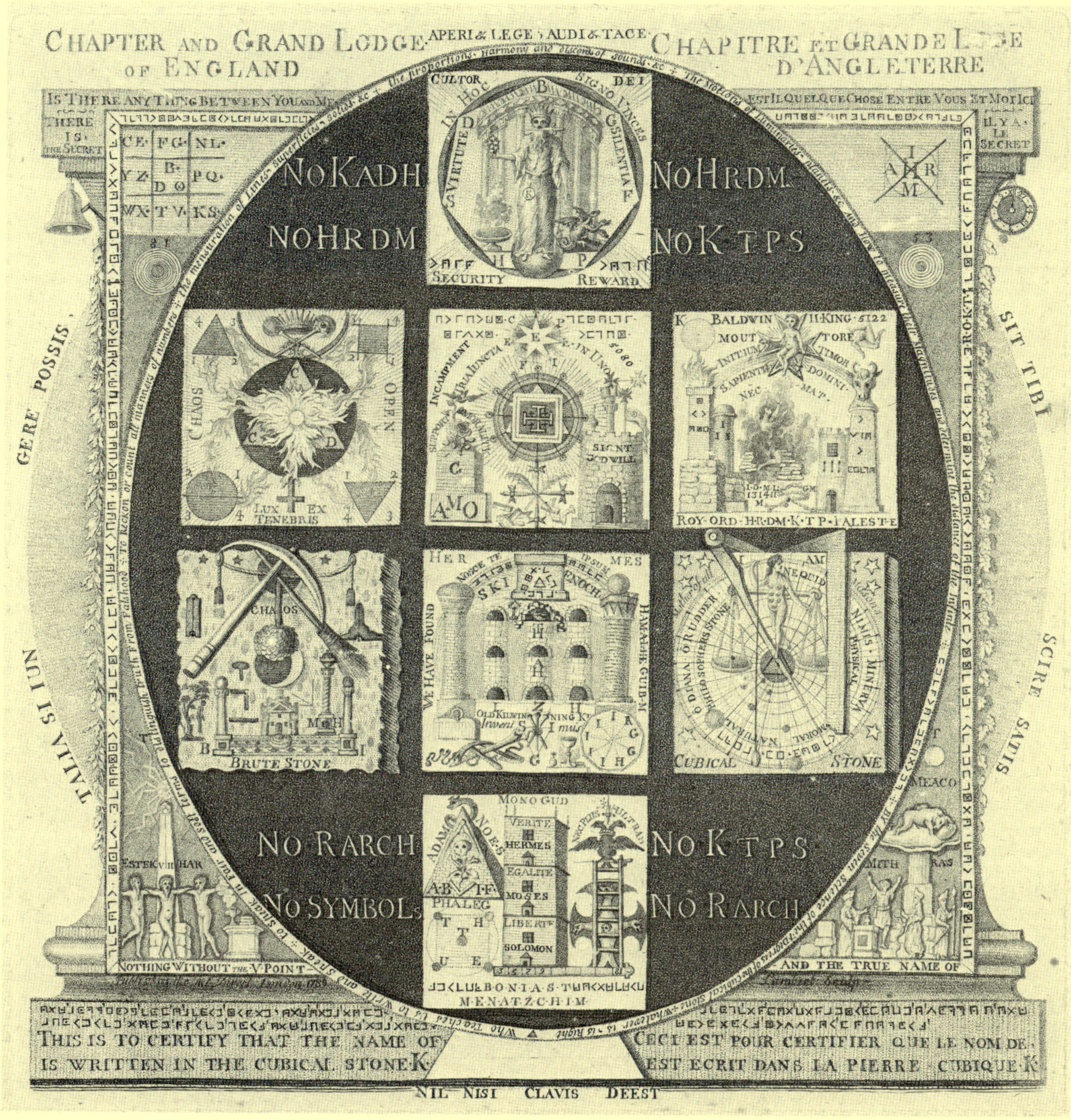
CHAPTER AND GRAND LODGE OF ENGLAND
APERI & LEGE AUDI & TACE
CHAPITRE ET GRANDE LOGE D'ANGLETERRE
IS THERE ANY THING BETWEEN YOU AND ME
EST IL QUELQUE CHOSE ENTRE VOUS ET MOI ICI
THERE IS THE SECRET
IL Y A LE SECRET
CULTOR DEI
IN HOC SIGNO VINCES
VIRTUTE SILENTIA
SECURITY
REWARD
NO KADH
NO HRDM
NO HRDM
NO K TPS
CHAOS
OPEN
LUX EX TENEBRIS
INCAMPMENT
SIGNT GODWILL
AMO
BALDWIN
II KING 5122
ROY ORD H RDM K T P IALEST E
CHAOS
BRUTE STONE
HER MES
NOSCE TE IPSUM
ENOCH
WE HAVE FOUND
OLD KILWIN
CUBICAL STONE
GERE POSSIS
SIT TIBI
SCIRE SATIS
TALIA IS VIVI
NO RARCH
NO SYMBOL
NO K TPS
NO RARCH
MONO GUD
ADAM
NOE
VERITE
HERMES
EGALITE
MOSES
LIBERTE
SOLOMON
PHALEG
MITHRAS
NOTHING WITHOUT THE V POINT
AND THE TRUE NAME OF
M ENAT Z C H I M
THIS IS TO CERTIFY THAT THE NAME OF
IS WRITTEN IN THE CUBICAL STONE K
CECI EST POUR CERTIFIER QUE LE NOM DE
EST ECRIT DANS LA PIERRE CUBIQUE K
NIL NISI CLAVIS DEEST

80 *To the Ancient & Honorable Fraternity of Free & Accepted Masons!*

Druck / Letterpress / Impression

II/i	Bild	Print	Image	70,5 × 48,5 cm
	Blatt	Sheet	Feuille	75,0 × 55,5 cm

Published August 10th 1838
(Bes./Colln.: Ldr.)

Als Vorläufer zu diesem Bild, in seiner ganzen Art der Häufung von Symbolen, gehörte der Bamberger Stich 6, Bild 79 zu dieser Gruppe. Jedoch konnte sinngemäß „Der 7. Grad" nicht auseinandergerissen werden.

Der Aufbau dieser Bilderansammlung ist relativ einfach: in der Mitte die blaue Johannis-Loge. Bemerkenswert in diesem Teil links das Symbol des Euklid. Auf der rechten und linken Seite u. a. Symbole des York- und des schottischen Ritus zusätzlich mit biblischen Szenen. Solche Darstellungen sind in mehreren Sprachen und Variationen bekannt, selbst auf Seide und Leinen.

Plate 79 (Bamberg Print 6) rightly belongs to this Section, as its predecessor and for its entire manner of assembling a mass of Symbols, but it would have been wrong to tear "The Seventh Degree" out of its context.

The composition of this collection of representations is relatively simple: in the centre the Blue (St. John's) Lodge. Note on the left of this part the Symbol of Euclid. On the left and right hand sides *i. a.* Symbols of the York Rite and of the A&ASR, together with biblical scenes. Such representations are known in several languages and variations, some being printed on silk and on linen.

La gravure 6, image 79, de Bamberg, avec son accumulation de symboles, devrait servir de prélude à cette image. Logiquement le «7ème grade» ne pouvait être séparé.

Le plan de cet assemblage d'images est relativement simple, au milieu la Loge bleue de St. Jean.

De telles représentations sont connues en différentes langues, et en présentations variées, on les trouve même sur toile ou soie.

SIT LUX ET LUX FUIT.

CONSUMMATED.

THE LIGHT SHINETH IN DARKNESS & DARKNESS COMPREHENDETH IT NOT

81

II/j

Briefbogen a / Letter heading a / Papier à lettres a

Kupferstich / Copperplate / Estampe en taille douce

Bild	Print	Image	14,5 × 10,0 cm
Platte	Plate	Plaque	17,5 × 11,0 cm
Blatt	Sheet	Feuille	18,6 × 24,0 cm u. 24,5 × 37,5 cm
Stecher	Engraver	Graveur	—

(Bes./Colln.: Ldr.)

Bei diesen Exemplaren handelt es sich um Doppelblätter, also gefaltete Briefbogen, jedoch in Klein- und Großoktav.

Da der nächste Stich ähnlich in der Ausführung ist, betrifft er sicher eine Loge, die sich für ihre verschiedenen Hochgrade zwei Ausführungen vom selben Stecher hat machen lassen.

Die Entstehung ist dem Beginn des 19. Jahrhunderts in Frankreich zuzuschreiben.

Both examples are folded double sheets, large and small 8vo.

As the work and execution are similar in the following print (Plate 82), it is probable that these belonged to a Lodge which had two different types made by the same engraver, for the purposes of its various Higher Degrees.

The beginning of the 19th century seems a probable date for this engraving, and France its origin.

Les 2 exemplaires sont des feuilles doubles, donc pliées, en petit et grand octavo.

L'exécution de la gravure suivante est semblable à celle-ci, on peut donc penser qu'il s'agit d'une Loge qui a fait faire pour ses différents Hauts-Grades 2 exemplaires par le même graveur.

L'origine du début du 19ème siècle est supposée française.

82   *Briefbogen b   /   Letter heading b   /   Papier à lettres b*

Kupferstich / Copperplate / Estampe en taille douce

II/j
Bild	Print	Image	16,0 × 11,5 cm
Platte	Plate	Plaque	18,7 × 12,0 cm
Blatt	Sheet	Feuille	21,0 × 33,5 cm
Stecher	Engraver	Graveur	—

(Bes./Colln.: Ldr.)

Auch hier handelt es sich um einen gefalteten Briefbogen in Großoktav. Der Altar in der Mitte mit Schmuck und Phoenix ist derselbe wie auf Bild 78, nur hat man die beiden Säulen und den Tempel im Hintergrund weggelassen. Dafür sind weitere typische Hochgrad-Symbole wie Bienenkorb – Löwe – Schlange hinzugefügt.

Weitere Beispiele von Gebrauchsgraphik in der von Dr. Beyer, Bayreuth, veranlaßten Mappe „200 Jahre Freimaurerische Gebrauchsgraphik" von Hans Weinberg, Amalthea-Verlag, Wien 1930, mit 30 Kupfern.

This again is a folded sheet of notepaper of large 8vo. The Altar in the centre with Jewel and Phoenix is similar to that of Plate 81. But the pair of columns in the background is here omitted, and replaced by other typical symbols of the Higher Degrees, such as beehive, lion, sphinx and serpent.

Further examples of "utilitarian" printing may be seen in another work originating in the initiative of Dr. Beyer, Bayreuth, the portfolio by Hans Weinberg, published by Amalthea-Verlag, Vienna, 1930, with 30 copper engravings, "200 Jahre Freimaurerische Gebrauchsgraphik" ("200 Years of Masonic Utilitarian Printing").

Il s'agit ici, également d'une feuille pliée, de grand octavo. L'autel, au milieu, avec les décors et le phénix, est le même que celui de la grav. 81. Les 2 colonnes et le temple à l'arrière-plan ont disparu. Par contre d'autres symboles des Hauts-Grades, tels que la ruche, le lion, le sphinx et le serpent, y ont été ajoutés.

D'autres exemples de graphismes maçonniques se trouvent dans l'ouvrage paru sous la direction du Dr. Beyer, Bayreuth: «200 Jahre Freimaurerische Gebrauchsgraphik» de Hans Weinberg, Amalthea-Verlag, Wien 1930, mit 30 Kupfern' (200 ans de graphismes maçonniques, Editions Amalthea, Vienne 1930, avec 30 gravures).

83 *Aufnahme eines Rosenkreuzers / Initiation in the Rose-Croix / Réception d'un Chevalier Rose-Croix*

II/k

Kupferstich / Copperplate / Estampe en taille douce
Bild   Print   Image   6,6 × 10,3 cm
Platte   Plate   Plaque   —
Blatt   Sheet   Feuille   9,2 × 15,7 cm
Stecher Engraver Graveur   C. Schule Rosmäßler delin.

Aus dem Buch / From the book / Extrait du livre
TASCHENBUCH FÜR FREIMAURER AUF DAS JAHR 1800,
Cöthen. (Bes./Colln.: FM. Bibl. Bayreuth Nr. 1902, Bibliogr.: Wo 806/3, Taute 242)

Der Text zu diesem Bild lautet: „Die Loge oder vielmehr das alchymistische Laboratorium einer Rosenkreuzer-Versammlung, in welcher der staunende Franz Hell, in der Erwartung, hier die Geheimnisse der höheren Maurerey zu finden, aufgenommen wird."
Ein Hinweis auf Rosenkreuzer ist nur das Hexagramm mit seiner typischen „Circumsphäre".

The text for this representation reads: "The Lodge, or rather the alchemistical Laboratory of a Rose-Croix Assembly, in which the astonished Franz Hell is being received, in the expectation of discovering here the Secrets of Higher Masonry."
The hexagrammaton, with its typical "circumsphere", is the only suggestion of the Rose-Croix.

Le texte de cette image dit: «La Loge ou plus exactement le laboratoire alchimique d'une réunion de Rose-Croix, dans laquelle le postulant étonné Franz Hell est dans l'attente de recevoir ici les mystères de la Maçonnerie Supérieure».
Seul l'hexagramme, avec sa «circumsphère», indique qu'il s'agit de Rose-Croix.

84

„Die Unsichtbaren" / The Invisible Ones / Les Invisibles

85

II/k

Kupferstich / Copperplate / Estampe en taille douce

Bild	Print	Image	6,3 × 10,4 cm
Platte	Plate	Plaque	—
Blatt	Sheet	Feuille	—
Stecher	Engraver	Graveur	G. Frosch pin. Rosmäßler

(Bes./Colln.: Ldr.)

84: Aus dem Taschenbuch für Freimaurer auf das Jahr 1798, Cöthen (Wo 806, Taute 242). Der gleiche Stich in dem Buch: Der Freidenker in der Maurerei. Berlin 1793. Bes. FM Bibl. Bayr. No. 320 Wo 1030. Hier trägt das Bild die Unterschrift: „Sieh' und verehre das Gericht der Unsichtbaren". Der Text zu diesem Stich findet sich auf Seite 279 und folgende. Hier ist das Schreckmoment gezeigt. Ein Anklang an die frühen Kadosch-Grade.

85: Aus dem Taschenbuch Cöthen 1798 und Text Ragotzki: Der Freidenker in der Maurerei, Berlin 1793. Hier die eigentliche Aufnahme mit dem Ritterschlag. Im Hintergrund die Sonne und die Waage im Gleichgewicht. Im Vordergrund der fünfeckige Tisch mit Weltkugel und der erleuchteten Glaskugel, die mit einem blauen Gazetuch verdeckt ist.

84: From the Pocketbook for Freemasons 1798, Cöthen (Wo 806, Taute 242). The same print also in 'The Freethinker in Masonry', Berlin 1793, Colln. FM Library Bayreuth No 320 (Wo 1030). Below the picture, the text reads: 'Look Thou, and honour the Judgment of the Invisible Ones'. The explanatory text to this print is on pp. 279 & ff. Shown here is the Moment of Terror, a reference to the earlier Knights-Kadosh Degrees.

85: From the Pocketbook Cöthen 1798, and text by Ragotzki: This shows the Initiation itself, when the Candidate is raised after being dubbed to the degree of Knighthood. In the background the Sun and the scales in equipoise. In the foreground the five-sided table with the terrestrial globe, and the illuminated glass sphere covered with a blue veil.

84: Tirée du manuel pour Francs-Maçons de l'année 1798, Cöthen (Wo 806, Taute 12). La même gravure se retrouve dans l'ouvrage: Der Freidenker in der Maurerei. Berlin 1793. Propr. Bibliothèque maç. Bayreuth N° 320, Wo 1030. (Le libre-penseur dans la Maçonnerie).
Le sous-titre de cette image s'énonce ainsi: «Vois et vénère le tribunal des Invisibles.» — Le texte accompagnant cette gravure se trouve p. 279 et suivantes. Ici on montre l'instant de l'effroi; un rappel des premiers grades Kadosch.

85: Tirée du même ouvrage cité précédemment. Texte de Ragotzki: Le libre-penseur dans la Maçonnerie. Berlin 1793.
Ici est montrée la véritable élévation au grade de chevalier. A l'arrière-plan le soleil et la balance en équilibre. Au premier-plan la table pentagonale avec le globe et une boule de verre illuminée couverte d'une gaze bleue.

86 *Aufnahme in der zweiten Stufe der Gold- und Rosenkreuzer / Initiation in the Second Degree of the Gold- and Rose-Croix / Réception au 2ème degré des Or-et Rose-Croix*

II/k Kupferstich / Copperplate / Estampe en taille douce
Bild   Print   Image   4,7 × 5,4 cm
Platte Plate   Plaque   6,1 × 7,5 cm
Blatt   Sheet   Feuille 10,0 × 17,2 cm
Stecher Engraver Graveur —

Aus dem Buch / From the book / Extrait du livre
DIE THEORETISCHEN BRÜDER ODER ZWEITE STUFFE DER ROSENKREUTZER . . .
Athen (Regensburg) 1785. (Bes./Colln.: Ldr., Wo 42 519, Kl. 2662, Taute 1429)

Auf der Titelseite wird gleichzeitig mit einem kleinen Stich eine Szene aus der Aufnahme gezeigt (Seite 162): „Der Huth und Degen auch Ornamenten und Schurzfell des Schottischen Meister werden abgelegt, und der Ordensvorsteher selbst ziehet dem Candidaten die Schuhe aus. — Wann der Candidat zugerichtet ist, so spricht der O. V.: ‚Mein Bruder treten sie auf die Weltkugel'. Der Br. Secretair lieset das Evangelium St. Johannis dem Candidaten vor — und spricht: ‚legen sie die Finger darauf, und sprechen sie mir den Eyd nach'."
Eine vollkommene Übersicht über alle Grade mit guter Bildwiedergabe bringt Band 1, Das Freimaurer-Museum', Leipzig 1925; Beyer, Das Lehrsystem des Ordens der Gold- und Rosenkreuzer.

The title page shows in a small engraving a scene of the Initiation (p.162): "The Hat and Sword, also the Ornaments and Apron of the Scotch Master are removed, and the Master of the Order himself removes the Candidate's Shoes. When the Candidate is prepared, the Master addresses him: 'My Brother, step upon the Terrestrial Globe'. Brother Secretary then reads the Gospel of St. John to the Candidate and says: 'Lay your Fingers upon it, and repeat the Oath after me'."
Vol. I. "Das Freimaurer-Museum", Leipzig 1925, Beyer "Das Lehrsystem des Ordens der Gold- und Rosenkreuzer" (The Teaching System of the Order of the Gold- and Rose-Croix) gives a comprehensive summary of all the Degrees, with excellent reproductions of illustrations.

Sur la page de titre est présentée une petite gravure montrant une scène de l'initiation (p. 162). «Le chapeau, l'épée, de même que les décors et le tablier de Maître-Écossais sont déposés, et le Grand-Maître lui-même ôte les chaussures du candidat. Quand celui-ci est prêt, le Grand-Maître s'adresse à lui en ces termes: «Mon Frère, posez votre pied sur le globe». Le Frère Secrétaire lit l'Evangile selon St. Jean au candidat et dit: «Posez-y vos doigts et répétez le serment après moi».»
Un aperçu complet de tous les grades, accompagné de bonnes illustrations se trouve dans le tome 1 de l'ouvrage: Das Freimaurer Museum, Leipzig 1925; Beyer, Das Lehrsystem des Ordens der Gold- und Rosenkreuzer. (Le musée maçonnique, Leipzig 1925; Beyer, L'enseignement de l'Ordre des Or- et Rose-Croix.)

Die theoretischen

Brüder

oder

zweite Stuffe

der Rosenkreutzer

und

ihrer Instruktion

das erstemahl ans Licht herausgegeben von einem
Prophanen

nebst einem Anhang

aus

dem dritten und fünften Grad, als Probe.

Athen, 1785.
zur Zeit der Aufklärung.

II/k   Kupferstich / Copperplate / Estampe en taille douce

Bild	Print	Image	13,8 cm ϕ
Platte	Plate	Plaque	15,3 × 14,3 cm
Blatt	Sheet	Feuille	17,8 × 17,0 cm
Stecher	Engraver	Graveur	—

Aus dem Buch / From the book / Extrait du livre
DIE THEORETISCHEN BRÜDER ODER ZWEITE STUFFE DER ROSENKREUTZER . . .
Athen (Regensburg) 1785 (Bes./Colln.: Ldr., Bibliogr. Wo 42 519 Kl. 2662 Taute 1429)

Ab Seite 64 wird eine Beschreibung des Teppichs gebracht (stark gekürzt): ,,a) Der ‚Globus Terrae' ist die wahre ‚Loge', welche die Philosophen durch Fleiß und Arbeit bis in das Centrum ergründen, und ihre 3 Reich der Natur durchsuchen. b) Die 7 Planeten sind die 7 himmlischen Körper (jedoch in ungewöhnlicher Folge). c) Der flammende Stern —. Die zwei Zeichen ☦ und ☿ bedeuten Agens und Patiens der männliche und weibliche Saamen der ganzen Natur und Creatur. e) Der ‚rohe Stein' Materia prima seu Cruda Philosophorum. f) Der ‚behauene Stein' bedeutet ☿ Philosophorum. g) Der ‚Winkel' und ‚Zirkel' bedeutet die Proportion und Maaß, und das Gewicht der Natur."

On p. 64 & ff. is a description of the Carpet, here reproduced greatly abridged, as follows: "a) 'The Terrestrial Globe' is the true Lodge which the Philosophers, by Zeal and Labour, explore to its Centre, and through whose three Empires of Nature they search. b) The seven Planets are the seven Heavenly Bodies (but in an unusual sequence). c) The Blazing Star. d) The two Signs ☦ and ☿ signify Agens and Patiens (= Active and Passive), the male and female Seed of all Nature and Creation. e) 'The Rough Ashlar' represents Materia prima seu Cruda Philosophorum (= prime matter, namely the crude material of the Philosophers). f) 'The Perfect Ashlar' signifies the Philosophers' ☿. g) 'The Square' and 'Compasses' signify Proportion and Measure, and the Weight of Nature."

Une description du tapis (très abrégée) se trouve à partir de la page 64: «a) Le «Globus Terrae» est la véritable «Loge» que les philosophes pénètrent jusqu'en son centre grâce à leur travail et à leurs études et les 3 règnes de la nature qu'ils explorent.» b) les 7 planètes sont les 7 corps célestes (mais dans une suite inhabituelle). c) l'étoile flamboyante. d) les 2 signes ☦ et ☿ représentent Agens et Patiens, les semences mâles et femelles de toute la nature et toute créature. e) la «pierre brute» Materia prima seu Cruda Philosophorum. f) la «pierre taillée» signifie ☿ des philosophes. g) «l'equerre» et «le compas» signifient les proportions, les mesures et le poids de la nature.»

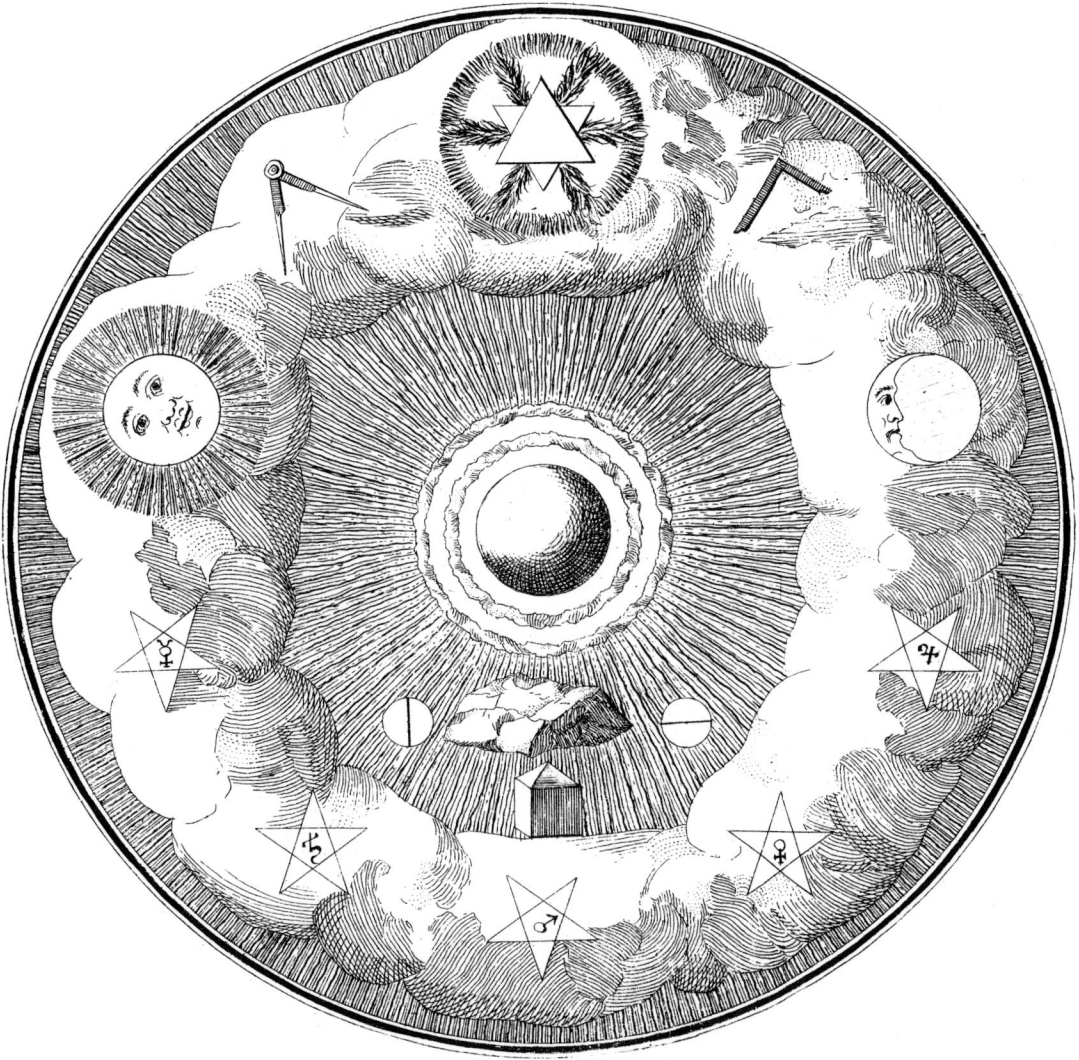

88 *Symbole der Tempelritter / Symbols of the Knights-Templar / Symboles des Templiers*

II/1 Kupferstich / Copperplate / Estampe en taille douce

Bild	Print	Image	–
Platte	Plate	Plaque	–
Blatt	Sheet	Feuille	9,0 × 16,0 cm
Stecher	Engraver	Graveur	Darcho

Aus dem Buch / From the book / Extrait du livre
NICOLAI, VERSUCH ÜBER DIE BESCHULDIGUNGEN WELCHE DEM TEMPELHERRENORDEN GEMACHT WORDEN, . . .
Berlin 1782. (Bes./Colln.: Loge Zur Ceder, Bibliogr.: Wo 5138 Kl. 2232)

Nicolai glaubte in den beiden geschnittenen Steinbildern (Fig. 1 u. 2), die auf Basilides (um 130 n. Chr.) zurückgingen, die Vorbilder für den Baphomet der Templer gefunden zu haben. Figur 3 ist das pythagoräische Pentagramm, wahrscheinlich das Erkennungszeichen, und Figur 5 Zeichen einer Einweihung in alter Zeit.

Nicolai believed that he had found the models for the Baphomet of the Templars, in the two engraved stones (Fig. 1 & 2) which go back to Basilides (c. 130 AD). Fig. 3 is the Pythagorean pentalpha, probably a recognition sign, and Fig. 5 an initiatic sign from the past.

Nicolai pensait avoir trouvé avec les 2 statues en pierre (fig. 1 et 2) qui remontent à Basilides (130 àprès J. C.) les modèles pour le Baphomet des Templiers. La figure 3 est le Pentagramme pythagoricien, probablement le signe de reconnaissance, et la figure 5 une marque d'initiation en des temps anciens.

Fig: 1.

Fig: 2.

Fig: 3.   Fig: 5.   Fig: 4.

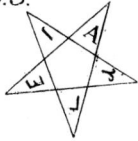   ÆR

Darchose.

II/1 Kupferstich / Copperplate / Estampe en taille douce

Bild	Print	Image	8,2 × 12,9 cm
Platte	Plate	Plaque	—
Blatt	Sheet	Feuille	9,2 × 16,0 cm
Stecher	Engraver	Graveur	—

Aus dem Buch / From the book / Extrait du livre
NICOLAI, VERSUCH ÜBER DIE BESCHULDIGUNGEN WELCHE DEM TEMPELHERREN-
ORDEN GEMACHT WORDEN, ...
Berlin 1782, 2. Teil. (Bes./Colln.: Loge Zur Ceder, Bibliogr.: Wo 5138 Kl. 22 32)

Nicolai hat hier vier Kupferstiche der Rosenkreuzer aus Büchern zu Beginn des 17. Jahrhunderts zusammengestellt, z. B. Figur IV aus Mich. Maier, Atalanta Fugiens — Oppenheim: de Bry 1617.
Die Erläuterungen bringt er auf Seite 205 ff. Sein Bestreben war zu zeigen, daß schon damals die Symbole der Rosenkreuzer sehr viel Gemeinsames mit der Freimaurerei gehabt haben: „Man sieht, es geschieht nichts Neues unter der Sonnen."

Nicolai has here assembled four copperplate engravings from books printed early in the 17th century, e.g. Fig. IV from Mich. Maier's 'Atalanta Fugiens' — Oppenheim: de Bry 1617.
He gives the text to these on pp. 205 ff. His purpose was to show that already at that earlier period the symbols of the Rose-Croix had much in common with Freemasonry: "It may be seen that there is nothing new under the Sun."

Nicolai a réuni ici 4 gravures tires de livres sur les Rose-Croix, et datant du 17ième siècle, par exemple la figure 4 de Mich. Maier, Atalanta Fugiens — Oppenheim: de Bry 1617.
Il en donne l'explication p. 205 et suivantes. Il essaie de démontrer qu'à cette époque déjà, les symboles des Rose-Croix avaient de nombreuses analogies avec la Maçonnerie: «On voit qu'il n'y a rien de nouveau sous le soleil»

Fig. 1.

Fig. II.

Fig III.

F. IV.

zum II.ᵗᵉⁿ Theile

90 *Entstehung der Erde durch das Aesch-Majim / Creation of the World by the Aesh-Mayim / La création de la terre par le «Aesch-Majim»*

II/1   Kupferstich / Copperplate / Estampe en taille douce
         Bild   Print   Image   13,0 × 20,5 cm
         Platte Plate   Plaque   14,0 × 22,7 cm
         Blatt   Sheet   Feuille 15,6 × 23,5 cm
         Stecher Engraver Graveur   —

         Aus dem Buch / From the book / Extrait du livre
         (BARON PROEK? BIRKHOLZ?) DER COMPASS DER WEISEN ...
         Berlin-Leipzig 1779. (Bes./Colln.: Ldr., Bibliogr.: Wo 42 501 Kl. 2645 Taute 857)

„Der Stich wurde von einem unbekannten Mitglied des Ordens der Gold- und Rosenkreuzer, der den Ordensnamen ‚Hepnagogerus‘ trug, in den 70er Jahren des 18. Jahrhunderts angefertigt. Das Bild stellt eine alchemistisch-pansophisch gedeutete Entstehung der Erde durch das Aesch-Majim oder Schamajim dar. Diese nach der biblischen Genesis gedeutete Weltentstehung findet sich zuerst in dem erstmals 1719 erschienenen Opus Mago-Cabbalisticum et Theophicum.“

Weitere Erklärungen des Bildes in K. R. H. Frick, Die Erleuchteten, (Akademische Druck- u. Verlagsanstalt, Graz 1974).

"The engraving was made in the 70s of the 18th century by an unknown member of the Order of the Gold- and Rose-Croix who bore the characteristic 'Hepnagogerus'. The illustration represents the origin of the world by the Aesh-Mayim or Shamayim, in an alchemist-pansophical interpretation. This Creation of the World is interpreted according to the biblical tradition in Genesis, and is found for the first time in the Opus Mago-Cabbalisticum et Theophicum which first appeared in 1719."

For further explanations of the engraving, *cf.* K. R. H. Frick, 'Die Erleuchteten' (Akademische Druck- u. Verlagsanstalt, Graz 1974).

«La gravure fut exécutée aux environs de 1770 par un membre de l'Ordre des Or- et Rose-Croix, qui portait le nom de «Hepnagogerus» dans l'Ordre. Elle représente une création alchimico-pansophique de la Terre par le Aesch-Majim ou Schamajim. Cette création, inspirée par la génèse biblique, se trouve pour la première fois dans l'Opus Mago-Cabbalisticum et Theophicum.»

Pour de plus amples renseignements voir K. R. H. Frick, «Die Erleuchteten», (Akademische Druck- u. Verlagsanstalt, Graz 1974).

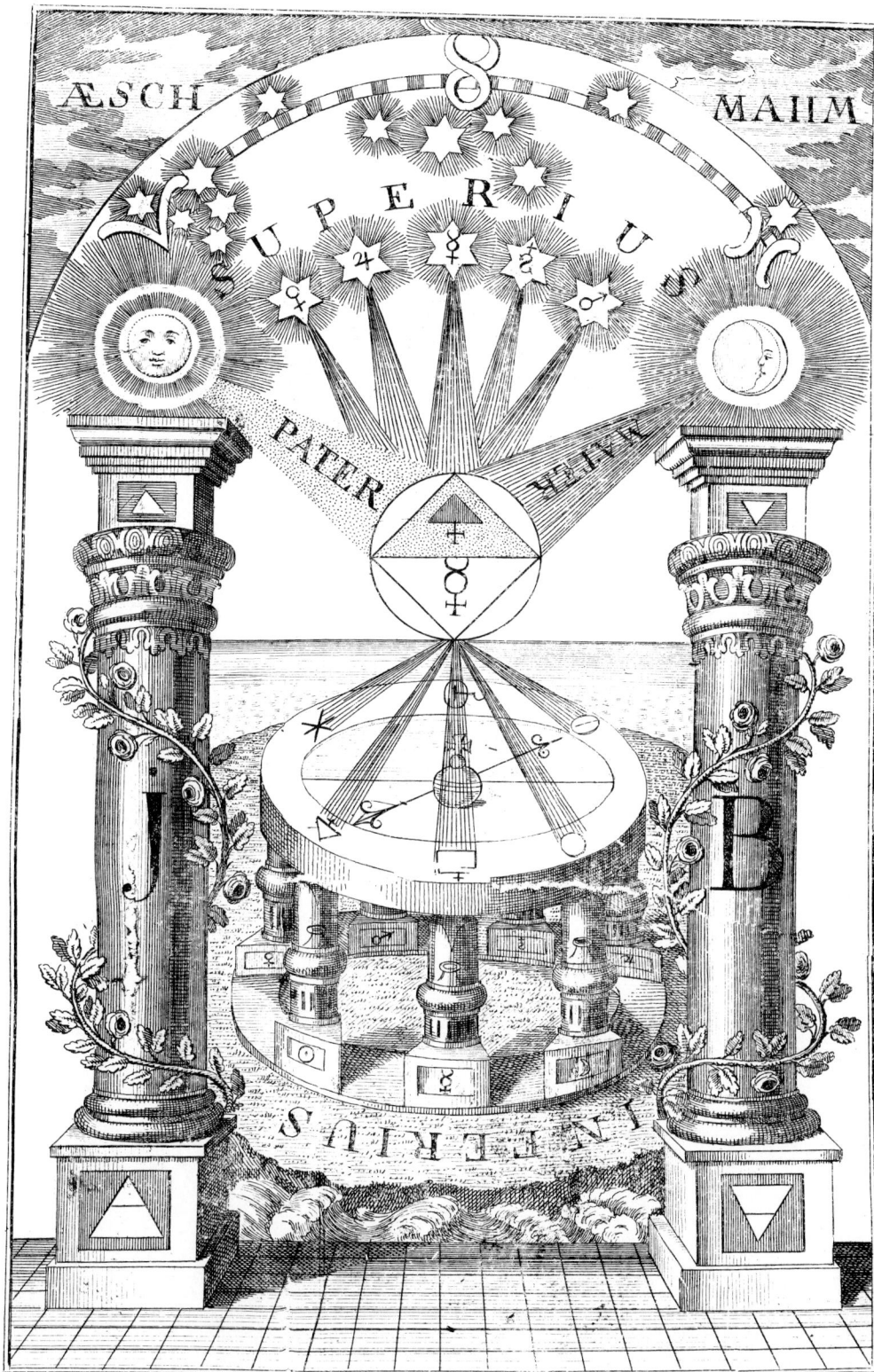

DRITTER TEIL / PART THREE / TROISIÈME PARTIE

A Free Mason,

Form'd out of the Materials of his Lodge

Behold a Master-Mason rare,
Whose mystic Portrait does declare,
The Secrets of Free Masonry.
Fair for all to read and see;
But few there are to whom they're known,
Tho' they so plainly here are shown.

A. Slade delin.

Publish'd according to Act of Parliam.t August 15.th 54.th By W. Tringham in Castle Alley Royal Exchange   Price 6.d Colour'd 1. Shilling

III

ALLGEMEINE FREIMAURERISCHE DARSTELLUNGEN UND VERWANDTE GEBIETE

GENERAL MASONIC ILLUSTRATIONS AND RELATED SUBJECTS

REPRÉSENTATIONS MAÇONNIQUES USUELLES ET SECTEURS APPARENTÉS

Frontispiz / Frontispiece / Frontispice

Ein Freimaurer, geformt aus dem Material seiner Loge, 1754
A Free Mason, Form'd out of the Materials of his Lodge, 1754
Un Maçon forgé à l'aide des outils de sa Loge, 1754

INHALT III / CONTENTS III / TABLE DE MATIÈRES III

91

Masonry Universal / *Masonry Universal* / *Maçonnerie Universelle*

Kupferstich / Copperplate / Estampe en taille douce

III/a

Bild	Print	Image	8,4 × 13,8 cm
Platte	Plate	Plaque	9,2 × 15,0 cm
Blatt	Sheet	Feuille	9,9 × 16,0 cm
Stecher	Engraver	Graveur	I. S. inv. L. P. Boitard del.

Aus dem Buch / From the book / Extrait du livre
THE POCKET COMPANION AND HISTORY OF FREE-MASONS . . .
London 1754. (von Entick, hrsg. Scott). (Bes./Colln.: Ldr. Bibliogr.: Wo 781 Kl. 141)

Kupferstiche mit gleicher Beschriftung erwähnt schon Kloss in seinem Buch: „Die Freimaurerei in ihrer wahren Bedeutung" auf Seite 96: „Diese Angelegenheit (Modern and Ancient Mason) kann nicht weit vor dem Jahre 1754 ernstlich in Gang gekommen sein, denn vor uns liegen mit diesem Jahre bezeichnete Kupferstiche, in welchen das Feldgeschrei der Ancient Masons ‚Masonry Universal' erschallt, . . .

So mag dem Feldgeschrei der „Ancient Masons" — also Dermot — auf dieser Tafel rechts eine besondere Bedeutung zugekommen sein.

Zu beachten ist die Stellung der drei kleinen Lichter, Sonne und Mond auf den beiden Säulen sowie das hebräische „Ajin" (Zeichen für das Auge) im Strahlenkranz.

Kloss already mentions copperplate engravings with similar legends, in his book "Die Freimaurerei in ihrer wahren Bedeutung" (Freemansonry in its true Meaning), p.96: "This matter (Antients v Moderns) cannot seriously have arisen much before 1754, for we have before us dated copperplate engravings of that year with the Antients' motto 'Masonry Universal'. . ."

Thus the motto of Dermot's Antients at the right of this Plate may have had a special significance.

Note the position of the three Lesser Lights, the Sun and Moon on the two columns, and the Hebrew Ayin (representing the Eye) in the glory.

Kloss évoque déjà dans son livre: «Die Freimaurerei in ihrer wahren Bedeutung» des gravures avec les mêmes inscriptions. P. 96 nous lisons: «Cet évènement (Modern and Ancient Mason) ne peut guère se situer avant 1754, car nous avons devant nos yeux des gravures datant de cette année où retentit l'acclamation des Ancient Masons «Masonry Universal».

C'est pourquoi on a pu attribuer (d'après Dermot) une signification particulière à l'acclamation des «Ancient Masons» visible à droite de ce tableau.

A remarquer la position des 3 petites lumières, du soleil et de la lune ainsi que le mot hébreux «Ajin» (signe de l'œil) dans la couronne rayonnante.

The Constitutions
of
Masonry
Universal

I.S. inv. L.P.Boitard del.

92 *Verherrlichung der Freimaurerei / Apotheosis of Freemasonry / Apothéose de la Maçonnerie*

III/a   Druck / Letterpress / Imprimée
Bild   Print   Image   19,5 × 24,5 cm (später handkoloriert / later hand-coloured / colorié à la main)

Aus der Zeitschrift / From the Periodical / Extrait de la
REVUE DE LA MAÇONNERIE UNIVER^{LE}
Paris. (Bes./Colln.: H. Schneider, Hamburg, Wo 683)

Dieser Druck wurde um 1895 herausgebracht. Auf der Weltkugel sind alle damals bekannten Systeme angeführt. Ringsherum sind allegorische Figuren und Symbole der Johannislogen und verschiedener Hochgrade angeordnet.

Im Zusammenhang mit dem 76. und 77. Bild ist der Hinweis auf den Swedenborg-Ritus zu beachten.

Vielleicht treffen sich die Gedanken von Dermot mit seinem „Feldgeschrei" auf dem 91. Bild hier mit der Revue de la maçonnerie universelle.

Text des Spruchbandes:
Die Maurerei hat — Nur einen Gedanken: Gutes zu tun
Nur ein Banner: Die Humanität
Nur eine Krone: Die Tugend

This print first appeared about 1895. On the Globe all the then known Systems are mentioned. It is surrounded by allegorical figures and symbols of Craft Masonry and of various Higher Degrees.

Note the reference to the Swedenborg Rite, in connexion with Plates 76—77.

Perhaps Dermot's motto (Plate 91) has influenced these ideas of the 'Revue de la maçonnerie universelle'.
The Text of the legend reads:
'Masonry has but one thought, to do good
but one banner, Humanity
but one crown, Virtue'

Cette impression parut en 1895. Tous les systèmes connus a cette époque sont représentés sur le globe. Il est entouré de figures allégoriques, de symboles des Loges de St. Jean et de certains Hauts Grades.

L'allusion au rite de Swedenborg est à considérer au regard des gravures 76 et 77.

La gravure de la Revue de la Maçonnerie Universelle peut peut-être se rapporter à l'esprit de Dermot en ce qui concerne son acclamation (voir 91).

Texte imprimé sur la banderolle:
La Maçonnerie n'a qu'une pensée: faire le bien
N'a qu'une bannière: celle de l'humanité
N'a qu'une couronne: celle de la vertu

La Mac∴ n'a qu'une pensée, faire le bien qu'une bannière celle de l'humanité, qu'une Couronne elle est pour la vérité

Rit de memphis.
Rit Persan ou Philosophique.
Rit Suédois, Système templier
Rit des anciens Mac∴ Libres et acceptés d'Angleterre.
Rit du Système de Schroeder.
Rit de Swedenbourg ou illuminés de Stockholm.
Rit Ecossais ancien et accepté.
Rit du Grand orient de France.
Rit Eclectique.   Rit au trois Globes.
Rit du Sytème de Zinnendorf.
Rit Ecossais philosophique.
Rit de Fessler ou de la G∴ L∴ royale fork à l'amitié de Berlin.
Rit Primitif ancien accepté.
Rit de Kilwinning
Rit des parfaits initiés d'Egypte.

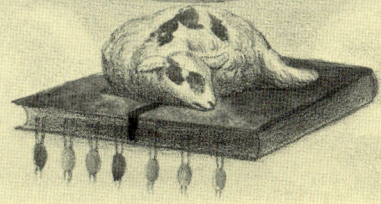

93

III/b

Reisebrief der Loge zum guten Hirten, Warschau / Masonic Passport of the Good Shepherd Lodge, Warsaw / Laissez-passer de la Loge «Zum guten Hirten» (Au bon pasteur) à L'Orient de Varsovie

Kupferstich / Copperplate / Estampe en taille douce

Bild	Print	Image	—	auf Pergament gedruckt / on parchment / sur parchemin
Platte	Plate	Plaque	—	
Blatt	Sheet	Feuille	41,0 × 34,0 cm	
Stecher	Engraver	Graveur	—	

(Bes./Colln.: FM. Bayreuth)

Dieser Reisebrief wurde am 20. März 1792 von der Loge des guten Hirten in Warschau für den Br. Ostermann ausgestellt. Die Umrahmung ist im Stile der zweiten Hälfte des 18. Jahrhunderts mit Symbolen, allegorischen Bauteilen und Spruchbändern überladen.

Über die Zugehörigkeit dieser Loge zum System „Du Bon Pasteur" vergleiche die Erläuterungen zum 63. Bild.

This passport was made out for Bro Ostermann on 20 March 1792 by the Good Shepherd Lodge, Warsaw. Its surround is overloaded with symbols, allegorical building elements and legends, in the style of the second half of the 18th century.

Cf. Note to Plate 63 as regards this Lodge belonging to the System 'Du Bon Pasteur'.

Ce laissez-passer fut délivré au F∴ Ostermann le 20 mars 1792, par la Loge «Zum guten Hirten» à l'O∴ de Varsovie. L'encadrement est surchargé de symboles, d'allégories architecturales et de banderoles dans le style de la seconde moitié du 18ème siècle.

Quant à l'appartenance de cette Loge au système «Du bon Pasteur» comparez avec les explications de la gravure 63.

94 *Zertifikat der Großen Loge zur Sonne, Bayreuth / Diploma of The Sun Grand Lodge, Bayreuth / Attestation de la Grande Loge „Zur Sonne" (Au soleil), Bayreuth*

III/b Kupferstich / Copperplate / Estampe en taille douce

Bild	Print	Image	39,0 × 29,7 cm
Platte	Plate	Plaque	41,5 × 32,0 cm
Blatt	Sheet	Feuille	50,0 × 39,6 cm
Stecher	Engraver	Graveur	Ioh. Ludw. Stahl in Nürnberg

Erfunden, Gezeichn. von Br. I. S. Vigitill, Nürnberg 1788.
(Bes./Colln.: H. W. Lorenz, Bayreuth)

Im Gegensatz zum 93. Bild bahnt sich hier eine erstaunliche Sachlichkeit im Ausdruck an. Nur der Hintergrund rechts und links erinnert noch an den alten Stil in der zweiten Hälfte dieses Jahrhunderts. Auch die Sprache ist nur deutsch, selbst in der Angabe des Stechers.
Im Sprachgebrauch taucht die Bezeichnung des „Meisters vom Stuhl" auf.

In contrast with Plate 93 we see here the beginnings of a surprisingly sober approach. Only the background left and right is reminiscent of the old style of the second half of this century. The text is only in German, including the rubrics giving the names of the designer and engraver.

Une étonnante sobriété d'expression se fait jour ici, contrairement à la gravure 93. Seul l'arrière plan à gauche et à droite rappelle l'ancien style de la seconde moitié de ce siècle. L'allemand est la seule langue utilisée – L'appellation: «Meister vom Stuhl» (c'est-à-dire Vénérable) fait son apparition.

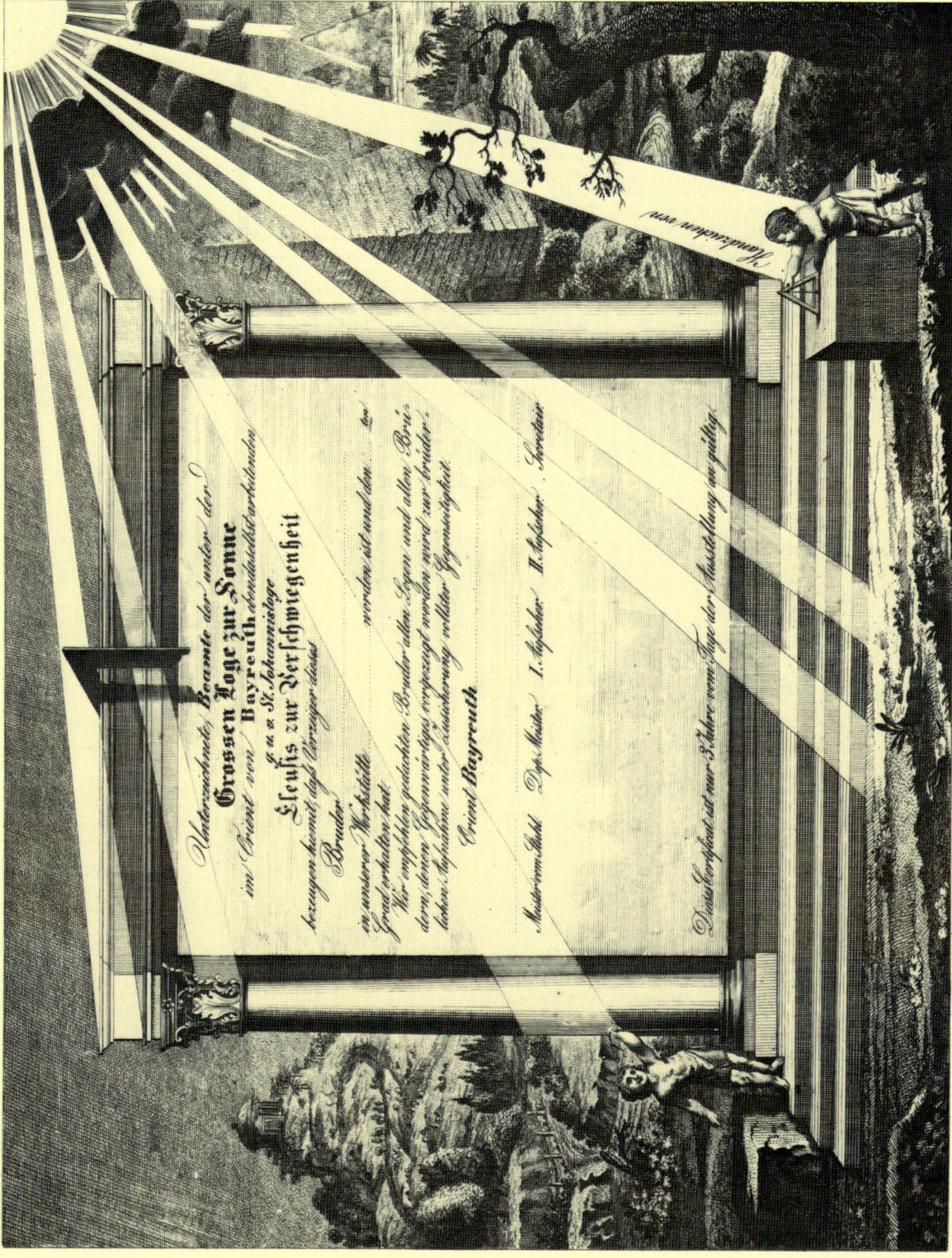

Unterzeichnete Beamte der unter der
Grossen Loge zur Sonne
im Orient von Bayreuth deutschkonstituirenden
Eleusis zur Verschwiegenheit
g a a St. Johannisloge

bezeugen hiemit, daß Vorzeiger dieses
Bruder
in unserer Werkstätte   worden ist und den
Grad erhalten hat.
Wir empfehlen gedachten Bruder allen Logen und allen Brüdern, denen Gegenwärtiges vorgezeigt werden wird zur brüderlichen Aufnahme unter Zusicherung völliger Gegenseitigkeit.

Orient Bayreuth

Meister vom Stuhl   Dep. Meister   I. Aufseher   II. Aufseher   Secretair

Dieses Kertifikat ist nur Jahre vom Tage der Ausstellung an gültig.

Manu sua pinx

95

III/b

Zertifikat für die Loge „Zur aufgehenden Morgenröte", Frankfurt / Grand Lodge Diploma for Rising Sun Lodge, Frankfurt / Attestation provenant de la Loge «Zur aufgehenden Morgenröte» (A l'aurore naissante), Francfort

Stahlstich / Steel engraving / Gravure sur acier: Brothers Silvester & Warrington

Bild	Print	Image	—
Platte	Plate	Plaque	—
Blatt	Sheet	Feuille	29,0 × 39,0 cm
Stecher	Engraver	Graveur	—

(Bes./Colln.: Familienarchiv Wolfskehl)

Ein englischer Logenpaß vom 16. 6. 1831 für eine deutsche Loge aus Frankfurt unter der Schirmherrschaft der englischen Großloge. Die Loge zur aufgehenden Morgenröte in Frankfurt war eine der wenigen Logen in Deutschland, welche die Aufnahme von Juden nicht ablehnte.

Der Paß wurde in englischer und lateinischer Sprache ausgestellt für Heymann Wolfskehl. Er war Urgroßvater des Dichters Karl Wolfskehl und Ururgroßvater von Otto Wolfskehl , Kassel, der mir freundlicherweise dieses Foto zur Verfügung stellte.

Diese Graphik ist eine wunderbare, schlichte Ausführung im englischen Stil der Zeit.

An English GL Certificate of 16 June 1831 for a German Lodge in Frankfurt under the aegis of the United Grand Lodge. The Rising Sun Lodge in Frankfurt was one of the few Lodges in Germany which did not refuse to initiate Jews.

This diploma was made out for Heymann Wolfskehl, in English and Latin (*cf.* modern GL Certificate — Transl.). Wolfskehl was the great-grandfather of the poet Karl Wolfskehl, and great-great-grandfather of Otto Wolfskehl, Kassel, who has kindly made this reproduction available.

This design is beautifully simple in execution, in the English manner of the period.

Un passeport maçonnique anglais daté du 16. 6. 1831 à l'intention d'une Loge allemande de Francfort travaillant sous les auspices de la Grande Loge d'Angleterre. La Loge «Zur aufgehenden Morgenröte» était une des rares Loges en Allemagne qui ne refusait pas l'admission de Juifs.

Ce passeport fut établi pour Heymann Wolfskehl, en langue anglaise et latine. Il était l'aïeul du poète Karl Wolfskehl. et le bisaïeul d'Otto Wolfskehl de Kassel, qui a aimablement mis cette photo à ma disposition.

Le graphisme est d'une magnifique simplicité, bien dans le style anglais de l'époque.

96

Einladungsformular um 1760 / Form of Summons or Billet, about 1760 / Planche de convocation aux environs de 1760

III/c   Kupferstich / Copperplate / Estampe en taille douce

Bild	Print	Image	—
Platte	Plate	Plaque	15,3 × 19,7 cm
Blatt	Sheet	Feuille	18,0 × 23,0 cm
Stecher	Engraver	Graveur	—

(Bes./Colln.: Ldr.)

Eine abweichende Darstellung des flammenden Sterns. Auf dem Pentagramm ein Dreieck im Kreis (Sonne) mit den Strahlen. Das Ganze ist rechts und links von Wolken umgeben. Eine sehr ansprechende Aufmachung für einen Einladungsvordruck.

Eine ergänzende Zusammenstellung bringt hier Hans Weinberg: 200 Jahre Freimaurerische Gebrauchsgraphik, Amalthea-Verlag, Wien 1930.

An unusual representation of the Blazing Star. A triangle superimposed on the pentagram within the circle of the Sun's rays, with clouds left and right. A very attractive presentation for a Summons or Billet.

For further examples see the collection in: '200 Jahre Freimaurerische Gebrauchsgraphik' (200 Years of Masonic Utilitarian Printing), by Hans Weinberg, published by Amalthea-Verlag, Vienna, 1930 (Colln Ldr).

Une anomalie dans la représentation de l'etoile flamboyante. Sur le pentagramme s'inscrit dans le cercle formé par le soleil et par ses rayons un triangle. Le tout est entouré de nuages, à droite et à gauche. Une présentation particulièrement heureuse pour une invitation maçonnique.

Hans Weinberg nous apporte à ce sujet un travail complémentaire: 200 Jahre Freimaurerische Gebrauchsgraphik, Amalthea-Verlag, Wien 1930 (200 ans de graphisme maçonnique).

M∴ C∴ T∴ C∴ F∴

Vous êtes prié de la part du V∴ F∴ et ses deux Surveillant de vous trouver   du mois   176 à   heure précise dans la loge de St jean Sous la denomination de la concorde pour des affaires qui vous Concernent & ce sans y manquer.

Votre très humble et très Obéissant Serviteur et F∴   Secretaire

*Noubliez pas V. T. S : V. P.

97 *Fragebogen für den Suchenden / Application Form for Initiation (Questionnaire) / Questionnaire destiné à un postulant*

III/c   Druck / Letterpress / Impression
  Bild   Print   Image   17,0 × 22,0 cm
  Blatt   Sheet   Feuille 19,3 × 24,8 cm

(Bes./Colln.: Ldr.)

Dem Suchenden wird dieser Fragebogen zum Ausfüllen vorgelegt. Drei Fragen, die auch in anderen Ländern gefragt sein könnten, nur ist hier eine recht dekorative Aufmachung gewählt worden.

Die Fragen lauten: Was schuldet der Mensch: Gott?
  Sich selbst?
  Seinen Mitmenschen?

This Form is to be completed by the Candidate. Three questions, which could also be asked in other countries; here, however, in a very decorative presentation.

The questions are: What does a man owe to God?
  himself?
  his fellow-men?

Ce questionnaire est soumis au postulant. 3 questions lui sont posées. Elles pourraient être posées dans d'autres pays aussi, mais ici la présentation est particulièrement décorative.

Voilà les 3 questions: Que doit l'homme à Dieu?
  Que doit-il à lui-même?
  Que doit-il à ses semblables?

Fermeté.  *Courage.*

Le Récipiendaire, avant de passer aux terribles épreuves physiques et morales qui l'attendent, remplira la formule ci-contre par ses nom, prénoms, âge, etc., et écrira ses réponses aux questions qui lui sont proposées ; puis, s'armant de courage, il fera ensuite son testament dans les termes les plus clairs et les plus concis possibles, de manière à ne laisser aucuns doutes sur ses intentions dernières, qu'il signera.

Le Profane âgé

de né le à

Département de demeurant à

Rue N.° professant l'état

d' a répondu aux questions suivantes :

Qu'est-ce que l'homme doit à Dieu ?

Que se doit-il à lui-même ?

Que doit-il à ses semblables ?

TESTAMENT.

O∴ DE CHALON-SUR-SAONE,
des Presses du F∴ PILLOT.

98 *Hilfe nach der Einäscherung Ruppin's (1787) / Relief after the burning of Ruppin 1787 / Aide après l'incinération de Ruppin (1787).*

III/d Kupferstich / Copperplate / Estampe en taille douce

Bild	Print	Image	20,8 × 17,6 cm
Platte	Plate	Plaque	23,4 × ? cm
Blatt	Sheet	Feuille	24,3 × 20,2 cm
Stecher	Engraver	Graveur	D. Chodowiecki

(Bes./Colln.: Ldr.)

Nach der Einäscherung von Ruppin brachte Chodowiecki zu seinem Wiederaufbau diesen Stich heraus.

Wilh. Engelmann in „Daniel Chodowiecki's sämtliche Kupferstiche", Leipzig 1857, Seite 313, sagt folgendes: „In einer Landschaft steht rechts unter einer Palme, auf einem Fußgestell mit den Attributen der Maurerei, die Büste des Königs Friedrich Wilhelm II. von Preußen. —"

Vgl. auch B. Beyer, Das Freimaurer Museum, Bd. V, Seite 258.

When Ruppin was reduced to ashes, Chodowiecki made this engraving for its relief.

Wilh. Engelmann, in his "Daniel Chodowiecki's sämtliche Kupferstiche" (The collected Engravings of Daniel Chodowiecki), Leipzig 1857, p. 313, writes: "In a landscape stands at the right under a palmtree, upon a pedestal bearing the attributes of Freemasonry, the bust of King Frederick William II of Prussia...."

Cf. also B. Beyer: 'Das Freimaurer Museum' (The FM Museum), vol. V, p. 258.

Après l'incinération de Ruppin, Chodowiecki publia cette gravure, à sa reconstruction.

Wilh. Engelmann dans son ouvrage: «Daniel Chodowiecki's sämtliche Kupferstiche» Leipzig 1857, nous dit ceci p. 313: «Dans un paysage, à droite, sous un palmier, sur un socle où sont représentés les attributs de la Franc-Maçonnerie, le buste du roi Frédéric Guillaume II de Prusse.»

Cf. également B. Beyer, Das Freimaurer Museum. Bd. 5, Seite 258 (Le musée maçonnique tome 5, page 258).

99 *Aufforderung zur Wohltätigkeit (1832) / Appeal for Charity 1832 / Appel à la charité (1832)*

III/d   Zinkdruck / Zinc engraving / Gravure sur zinc
         Bild   Print   Image   17,6 × 24,9 cm
         Blatt   Sheet   Feuille   20,5 × 27,5 cm
         Stecher Engraver Graveur   J. G. Schadow

(Bes./Colln.: Ldr.)

Makowsky schreibt in seinem Buch: Schadow's Graphik, Berlin 1936, Seite 34: „Zwei seiner Arbeiten unterstützten den Werbedienst bei ihren (Feimaurer) Zusammenkünften,... wenn die Wohltätigkeit der Brüder aufgefordert wurde,... machte der Zinkdruck mit dem bettelnden alten Maler und den biblischen Anrufen an das Erbarmen die Runde."

Makowsky writes, in his book: Schadow's Graphik (Schadow's Graphic Art), Berlin 1936, p. 34: "Two of his works were in support of their (the Freemasons') appeals at their meetings ... when the Brethren were asked to contribute to Charity... the zinc engraving of the begging old artist and with the biblical appeals to compassion made the rounds."

Dans son ouvrage: Schadow's Graphik, Berlin 1936, p. 34, Makowsky écrit: «L'entr'aide aux réunions fut soutenue par deux de ses œuvres... et la charité des frères fut stimulée par la gravure représentant un vieux pei... ...diant et les appels bibliques à la compassion.»

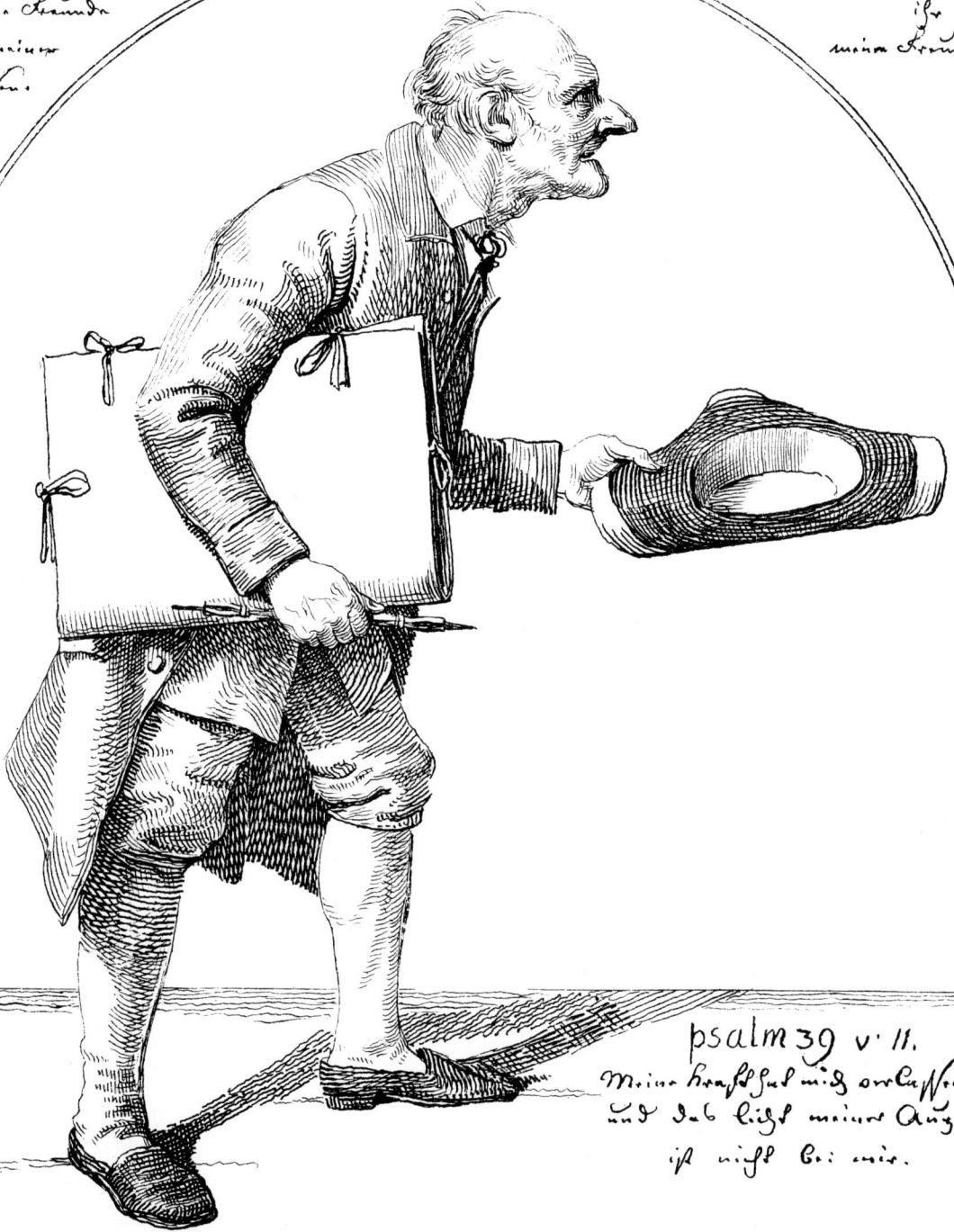

Hiob Cap. 19. v. 14.

Hiob. Cap. 19. v. 31.

psalm 39 v. 11.

Berlin den 4ten Januar 1832.

100

III/d

Erinnerung an die Gründung eines freimaurerischen Waisenhauses für Mädchen / Memorial of the Foundation of a Masonic Orphanage for Girls 1802 / Souvenir de la fondation d'un orphelinat maçonnique pour jeunes filles

Kupferstich / Copperplate / Estampe en taille douce

Bild	Print	Image	25,5 × 19,8 cm
Platte	Plate	Plaque	28,0 × 24,3 cm
Blatt	Sheet	Feuille	30,9 × 25,0 cm
Stecher	Engraver	Graveur	—

Plagiator unbekannt
(Bes./Colln.: Ldr.)

Dieses Blatt ist abgekupfert von Francesco Bartolozzi: Darstellung eines Festes der „Freemasons' Charity for female children" in der Großloge von England, London 1802. Motive waren damals noch nicht geschützt. Die Gründung des Waisenhauses erfolgte am 25. März 1788. Vergleiche das 75. Bild und Beyer, Das Freimaurer Museum, Band 2, Seite 318.

This engraving is copied from Francesco Bartolozzi's "Representation of a Banquet of the Freemasons' Charity for female children" in the Grand Lodge of England, London 1802. At that time there was no protection of copyright. The foundation of the orphanage took place on 25 March 1788. *Cf.* Plate 75, and Beyer: Das Freimaurer Museum (The FM Museum), vol. II, p. 318 ff.

Cette gravure est un plagiat de l'oeuvre de Francesco Bartolozzi: Réprésentation d'une fête des «Freemasons' Charity for female children» de la Grande Loge d'Angleterre. Londres 1802. Le dépôt légal n'existait pas encore à cette époque. L'orphelinat fut fondé le 25 mars 1788. *Cf.* l'image 75 et Beyer, Das Freimaurer Museum, tome 2, page 318 et suiv.

101 *Eine freimaurerische Geheimschrift 1745 / Cryptic Alphabet 1745 / Un Chiffre des Francs-Maçons 1745*

III/e Kupferstich / Copperplate / Estampe en taille douce

Bild	Print	Image	7,0 × 10,0 cm
Platte	Plate	Plaque	8,8 × 13,5 cm
Blatt	Sheet	Feuille	9,5 × 15,4, cm
Stecher	Engraver	Graveur	—

Aus dem Buch / From the book / Extrait du livre
L'ORDRE DES FRANCS-MAÇONS TRAHI . . .
Amsterdam 1745, 1. Ausgabe. (Bes./Colln.: Ldr., Bibliogr.: Wo 29 963 Kl. 1860 Taute 1378)

Dieser Kupferstich zeigt eine freimaurerische Geheimschrift in der typischen Quadratausführung. Oben sieht man den Schlüssel — unten ein Beispiel jeweils zum deutschen und zum französischen Text.

Vergleiche Alfred Engel: Die freimaurerischen Geheimschriften. Quellenkundliche Arbeiten der Forschungsloge Quatuor Coronati Nr. 808, Bayreuth 1972. Nr. 5, Seite 27, Taf. 12a.

This engraving shows a Masonic alphabet in the typical square form. Above: the key; below: an example each in German and French.

Cf. Alfred Engel: Die freimaurerischen Geheimschriften (Masonic Cryptography). Quellenkundliche Arbeiten der Forschungsloge Quatuor Coronati No. 808, Bayreuth (Studies of Source Material, Quatuor Coronati Lodge of Research No. 808, Bayreuth) 1972, No. 5, p. 27, Pl. 12a.

Cette gravure représente une écriture secrète maçonnique dans la forme typique du carré. La clef se trouve en haut, — en bas un exemple pour le texte allemand et le texte français.

Cf. Alfred Engel: Die freimaurerischen Geheimschriften (Les écritures secrètes maçonniques). Travaux de la Loge de recherches historiques Quatuor Coronti No. 808, Bayreuth 1972.

Le Chiffre des Francs-Maçons
rendu public.

Der entdeckte Chiffer der Freymäurer

102 „Geheime Zuschrift" eines Übersetzers 1745 / "Secret Communication" by a translator 1745 / «Missive secrète» d'un traducteur. 1745

III/e Kupferstich / Copperplate / Estampe en taille douce

Bild	Print	Image	10,7 × 14,7 cm
Platte	Plate	Plaque	11,5 × 15,3 cm
Blatt	Sheet	Feuille	14,4 × 19,8 cm
Stecher	Engraver	Graveur	—

Aus dem Buch / From the book / Extrait du livre
DIE OFFENBARTE FREYMÄUREREY UND DAS ENTDECKTE GEHEIMNISS DER MOPSE . .
Leipzig bey Mumme 1745. (Bes./Colln.: Ldr., Bibliogr.: Wo 29 962/2, Kl 1864)

Noch im Jahre 1745 erschienen fast gleichzeitig drei Übersetzungen des „L'ORDRE DES FRANCS-MAÇONS TRAHI. . .", Amsterdam 1745. (Vgl. 101. Bild). Jedoch lag nur der Ausgabe von Mumme, Leipzig, dieser Kupferstich „Geheime Zuschrift" mit völlig abweichender Geheimschrift bei. L.-Peter Freiherr von Pölnitz hat den Schlüssel dazu gefunden.
Es handelt sich, wie der Klartext zeigt, wahrscheinlich um das derzeit früheste bekannte Dokument bezüglich der Symbolik des Royal Arch. Nähere Einzelheiten in „Quatuor Coronati Jahrbuch" 1976, Nr. 13. Herausgeber: Q. C. Loge, Nr. 808, Bayreuth.

In 1745 three translations of 'Trahi' appeared almost simultaneously (cf. Plate 101). But this engraving only appeared with the Leipzig edition of Mumme, using a totally different cryptic alphabet. Peter Frhr. von Pölnitz has been able to decipher this.
As the text en clair shows, this appears to be possibly the earliest document known to date concerning the symbolism of the RA. Further details may appear in "Quatuor Coronati Jahrbuch" 1976, Nr. 13, edited by Q. C. Lodge No. 808, Bayreuth.

En 1745 parurent presque simultanément 3 traductions de «L'Ordre des Francs-Maçons trahi. . .», Amsterdam 1745 (cf. image 101). Seule l'édition de Mumme comportait cette gravure intitulée «Missive secrète» avec une écriture secrète totalement non conformiste. P. von Pölnitz en a trouvé la clé.
Il s'agit, comme le montre la traduction, probablement du plus ancien document concernant la symbolique du Royal Arch. D'autres détails paraîtront dans «Quatuor Coronati Jahrbuch» 1976, Nr. 13. Publication de la loge de recherche, Quatuor Coronati No. 808, Bayreuth.

Zuschrifft des Uebersetzers an die Ehrwürdige Gesellschaft der Freymäurer

Meine Brüder,

die Welt ⧧◠ — ◁◯◻◯◻◻� größtentheils ∠ — ◁◻∠◁⊖⊤ᒋ

gegenwärtiges Buch ∠ᒋ⊖◻⊖⊤ᒋ—◻⧧◻◻◁ᒋ◻⊥◻◁◻△⧧⊖◦◯◻

◁ᒋᒋ⊖△◁◁ᒋᒋ◻◁⊖. ◁⊖△◻◁ᒋᒋ◁△◁ᒋᒋ◻◁∠∠◻ und ich habe

es mit desto größerm Vergnügen ◻◁ᒋ⊖◁ᒋᒋ◁◦ᒋ◻◁∠—◁⊤⊤ᒋ◠

∠∠∠∠—◁◁◁◁ᒋ◻◁⊤ᒋ◻ ferner ◁◁⊤∠∠◻◁∠⊖△◻◁—◁

◁◁ᒋ⧧∠∠◻◻◁∠∠◻◦◻∠—◻ᒋ ᒋᒋ⊖◻ᒋ◁◻◁◻. Unterdeßen

wird ihre Wißenschaft —◁◁ᒋᒋ◦ᒋ◁◁. 200. —199. ◁ᒋ◻◁◁◁ᒋ

ᒋ◁◦◻ᒋ⧧∠ᒋ◻◻⊥—◁∠◻ᒋ◻◁∠—⊤ᒋ◁◻◻◻◁∠◦—◁

◁◁ᒋᒋᒋᒋ◻◁◻◁∠◻◻ nicht ◁—∠◻—◻◁◻◻◻⊖ᒋ◠

ᒋ◁◁ᒋ◻⧧◻◻∠◁∠◻◻◁◻⊥◻∠∠◁⊤⊖ᒋ◻◻⊤—△∠◻◁◁ᒋ

◻◁◁◻∠◁◁∠ wird niemals ∠∠◻—◻◠◻—⊖◦◻◻⊤ᒋ

∠∠⊖◻◁∠⊥∠◻. Daher wird ◁⊤⊖◻⊖◻◁◦◁◁△◻◁⊖∠⊞

—⊖—◠ᒋᒋ◁◁ ◁◻◁◁∠◻◻ niemals ◦∠⊖◻⧧⊤∠◻◻

welche allezeit in dem |⊖∠◻◻⊞◻◻⊤ᒋ◻◁◁◻⊖∠⊖⊞—⊖ᒋ

◻◠ᒋ◁◻∠∠◻◻◻◦ versammlet werden, deßen ⧧◠—◻

◁◦◁◁ᒋ◻◁⊤⊤◁—◻◁ᒋ◠◁◻◁—◻◻ Un-

desto mehr laßt uns ◻◻◁⊖ᒋ∠⊥◻⧧∠◻◻∠◻⧧⊥⊖◻ᒋ◻

◻◁◁∠⊖ᒋ◻ᒋ∠——⊥∠◻⧧∠◻◻◠∠◻⊖◻◻◁◁◁◻⊖

◁◻◁◻◦◻◻∠—◻◁◁ die Annehmlichkeit und Zierde der-

selben ∠ᒋ⊖◦◻ᒋ◁◁◻◁◻∠∠ᒋ⊖◻◻◻◁◻ᒋ⧧◁◻⊖∠∠◦◁⧧

◻◁◁—⊥◁⊖◻◁◁◦◻◻◻⧧∠.

Meine Brüder ich ⧧⊖◁◁◁ᒋ◁◁∠◁◁∠∠◻⊖—⊥.⊛

∠◻⊖◁◻—◻◻◁⊥⊖◻◻◻∠
⊖◻∠◻◻◦◻∠∠◻◠◻⧧⧧◻
◁◻.◻—⊖◁◁◻ ◦◁—⊤◻⊞
⊞◻◻◻⊥——⧧◻◻

G

103 Herzog Ferdinand von Braunschweig / Duke Ferdinand of Brunswick / Le Duc Ferdinand de Brunswick

III/f   Gemälde   Oil painting   Peinture   1781
70 × 88 cm
Maler unbekannt / Artist unknown / Peintre inconnu

(Bes./Colln.: Loge Friedrich zum weißen Pferde)

Herzog Ferdinand ist am 12. Januar 1721 geboren und am 3. Juli 1792 gestorben. Er wurde schon 1740 in die Loge Aux trois globes und 1743 in Breslau in den dritten Grad aufgenommen. Erst sehr spät, Ende der 60er Jahre, wandte er sich wieder der Freimaurerei zu und trat jedem Hochgradsystem bei. 1782 leitete er den Wilhelmsbader Konvent, der das Ende der Strikten Observanz bedeutete. Er wurde aber General-Großmeister des neuen Systems des Ritters der Wohltätigkeit. 1783 trat er noch dem Illuminaten-Orden und dem System der Asiatischen Brüder bei.

Duke Ferdinand was born on 12 January 1721, and died on 3 July 1792. He was initiated 1740 in Lodge Aux trois Globes and raised to MM in 1743 in Breslau. He returned to Freemasonry late in the 1760s and became a member of every System of Higher Degrees. In 1782 he presided over the Convention of Wilhelmsbad which put an end to the Strict Observance, but he became Grand-Master General of the new System of the Knights of Charity. In 1783 he also joined the Order of Illuminati and the System of the Asian Brethren.

Le Duc Ferdinand naquit le 12 janvier 1721 et mourut le 3 juillet 1792. Dès 1740 il fut initié à la Loge «Aux trois globes» et fut élevé au 3ème grade en 1743 à Breslau. Ce n'est que presque trente ans plus tard, qu'il se rapprocha à nouveau de la Maçonnerie et qu'il entra dans les Hauts-Grades. Il présida le Convent de Wilhelmsbad, qui marqua la fin de la Stricte Observance. Il devint Grand-Maître Général du nouveau système des Chevaliers de la Bienfaisance. En 1783 il entra également dans l'Ordre des Illuminés et dans le système des Frères Asiatiques.

104 *Ignaz Aurelius Feßler / Ignaz Aurelius Fessler / Ignace Aurelius Fessler*

Kupferstich / Copperplate / Estampe en taille douce

III/f

Bild	Print	Image	9,2 × 13,7 cm
Platte	Plate	Plaque	—
Blatt	Sheet	Feuille	10,0 × 16,8 cm
Stecher	Engraver	Graveur	Rosmäßler, Dresden 1826

(Bes./Colln.: Ldr.)

Feßler wurde am 18. Mai 1756 in Czurendorf (Westungarn) geboren und starb am 15. Dezember 1839 in Petersburg. Er trat 1773 in den Kapuziner-Orden ein und erhielt 1779 die Priesterweihe. Durch Vertretung sehr liberaler Ansichten über die Verhältnisse in den Klöstern gegenüber Kaiser Joseph machte er sich beim Klerus sehr unbeliebt.

Aus dem Kapuziner-Orden entlassen, wurde er 1783 in Lemberg Freimaurer. 1796 übersiedelte er nach Berlin und trat der Loge Royal York bei. Er wurde der Reformator der ersten drei Grade. Ursprünglich Gegner der Hochgrade, setzte er sich hier nicht durch und reformierte dann sogar die Hochgrade. Neue Streitigkeiten veranlaßten seine Übersiedlung nach Petersburg.

Fessler was born on 18 May 1756 in Czurendorf (W Hungary) and died on 15 December 1839 in St. Petersburg. He entered the Religious Order of the Capuchins in 1773 and was ordained as Priest in 1779. His very liberal views concerning the relations between the monasteries and the Emperor Joseph made him extremely unpopular amongst the clergy.

After his dismissal from the Order, he became a Freemason in 1783 in Lemberg (Lwow). In 1796 he moved to Berlin and joined the Lodge Royal York, where he revised the first Three Degrees. Originally he was against the Higher Degrees, but subsequently revised and reformed these also. Further disagreements resulted in his moving to St. Petersburg.

Fessler naquit le 18 mai 1756 à Czurendorf (Hongrie) et mourut le 15 décembre 1839 à St. Petersbourg. Il entra dans l'Ordre des Capucins en 1773 et fut ordonné prêtre en 1779. Défenseur acharné d'opinions très libérales quant aux relations entre les couvents et l'Empereur François, il se fit détester par le clergé.

Exclu de l'Ordre des Capucins, il entra en Maçonnerie à Lwow, en 1783. En 1796 il s'installa à Berlin et entra à la Loge Royal York. Il devint le réformateur des 3 premiers grades. Il fut à l'origine un adversaire des Hauts-Grades, mais ne put s'imposer et finit par les réformer aussi. De nouvelles controverses l'obligèrent à s'installer à St. Petersbourg.

105 *Benjamin Franklin / Benjamin Franklin / Benjamin Franklin*

Kupferstich / Copperplate / Estampe en taille douce

III/f

Bild	Print	Image	16,0 × 21,3 cm
Platte	Plate	Plaque	16,4 × 25,8 cm
Blatt	Sheet	Feuille	23,3 × 35,5 cm
Stecher	Engraver	Graveur	—

DESSINÉ PAR C. N. COCHIN CHEVALIER DE L'ORDRE DU ROI.
J. S. Negges Sculps. et exc. (Bes./Colln.: Ldr.)

Franklin wurde am 17. Januar 1706 in Boston geboren und starb in Philadelphia am 17. April 1790. Im Februar 1731 wurde er dort in die Loge aufgenommen und bekleidete schon ab 1732 bis zu seinem Lebensende die höchsten Logenämter. Maßgeblich war er für die Unabhängigkeit der Vereinigten Staaten und dann für deren Verfassung tätig.

Während er die Staaten als Diplomat in Paris vertrat, war er Mitglied der Loge „Les Neufs Soeurs" und genoß dort ein sehr hohes Ansehen.

Er druckte das erste freimaurerische Buch in Übersee „Die Andersonschen Konstitutionen" im Jahre 1734.

Franklin was born on 17 January 1706 in Boston, and died in Philadelphia on 17 April 1790. He was initiated in Philadelphia in February 1731 and from as early as 1732 until the end of his life he held the highest Masonic offices. He was instrumental in securing Independence for the United States and in drawing up their Constitution.

During his stay in Paris as diplomatic representative of his country, he was a member of the Loge "Les Neufs Sœurs" and was held in the highest esteem.

He printed the first Masonic book overseas: "Anderson's Constitutions" (in 1734).

Franklin naquit le 17 janvier 1706 à Boston et mourut à Philadelphie le 17 avril 1790. En février 1731 il fut initié à la Loge de cette ville et occupa dès 1732 et jusqu'à la fin de ses jours les plus hautes dignités maçonniques. Il fut l'agent actif de l'Indépendance des Etats-Unis et de leur Constitution.

Il fut membre de la Loge «Les Neufs Soeurs» à Paris quand il y représenta les Etats-Unis en tant que diplomate et y jouit de la plus haute considération.

En 1734 il imprima le premier livre maçonnique d'outremer: «Les Constitutions d'Anderson.»

106 *Auf die Maurerei. Ein neuer Gesang / On Masonry. A New Song / A la Maçonnerie: Un chant nouveau*

III/g Kupferstich / Copperplate / Estampe en taille douce
Bild	Print	Image	11,3 × 7,6 cm
Platte	Plate	Plaque	21,0 × 13,3 cm
Blatt	Sheet	Feuille	22,1 × 14,2 cm
Stecher	Engraver	Graveur	K. Koberg fecit. according to act of Parliam. 1738

Aus dem Buch / From the book / Extrait du livre
CALLIOPE OF ENGLISH HARMONY . . . 1739.
(Bes./Colln.: Univ. Bibl., Würzburg)

Einer der ältesten freimaurerischen Kupferstiche (Inkunabel) und zugleich einer der aussagekräftigsten. Der Logenmeister mit Winkel steht nach beendeter Arbeit noch im Osten. Gegenüber die beiden Aufseher mit ihren Abzeichen. Der Tisch als Teppich ist schon abgewischt, die Umrandung mit den gegenläufigen Dreiecken ist fest aufgemalt. Die drei kleinen Lichter — hier verziert mit Sonne, Mond und ‚G' — stehen noch dekorativ auf dem Tisch.

Die Arbeit der sieben Brüder ist beendet. Sie singen mit einem Weinglas in der Hand ,,A New Song". (Literatur: AQC Bd. 76, 1963).

One of the oldest copperplate engravings of Masonic incunabulæ, and at the same time one of the most expressive. The Master with Square stands in the East, Labour being ended. Facing him are the two Wardens, wearing the Jewels of their office. The Tracingboard has been wiped off the table, its indented edging is painted on. The three Lesser Lights, here decorated with Sun, Moon and 'G', still decorate the table.

The seven Brethren have ended their Labour. They are singing, wine glass in hand, "A New Song". (*cf.* AQC vol. 76, 1963).

Voilà une des plus anciennes gravures maçonniques (incunable), et en même temps une des plus révélatrices de l'atmosphère maçonnique. Le Vénérable Maître, avec l'équerre, se trouve encore à l'Orient, les travaux étant terminés. En face de lui les deux Surveillants avec leurs décors. Le tapis déssiné sur la table est effacé, par contre la bordure avec la houppe dentelée est peinte d'une façon permanente. Les 3 petites lumières, décoreés ici du soleil, de la lune et de la lettre «G» ornent encore la table.

Les travaux des 7 Frères sont clos. Le verre de vin à la main, ils chantent «A New Song».

On Masonry A New Song

The Words by Mr Digby Cole, set to Musick by Mr Carey

'Tis Masonry unites Mankind to Gen'rous Actions forms the Soul

'Tis Masonry unites Mankind to Gen'rous Actions forms the Soul

In friendly Converse all Conjoind One Spirit animates the Whole

In friendly Converse all Conjoind One Spirit animates the Whole

2
Where'eer aspiring Domes arise,
Where ever sacred Altars stand,
Those Altars blaze unto the Skies,
Those Domes proclaim ye Mason's hand.

3
As Passions rough the Soul disguise,
Till Science cultivates the Mind;
So the rude Stone unshapen lies,
Till by the Mason's Art refin'd.

4
Tho' still our Chief Concern & Care,
Be to deserve a Brother's Name;
Yet ever mindful of the Fair
Their kindest Influence we claim.

5
Let wretches at our Manhood rail!
But they who once our Order prove,
Will own that we who build so well,
With equal Energy can Love

6
Sing Brethren then, the Craft divine!
(Best Band of Social Joy & Mirth)
With Choral Sound, & chearful Wine,
Proclaim it's Virtues o'er the Earth!

107 Ein Kettenlied / The Free Mason's Health / Le chant de la chaîne d'union

III/g

Kupferstich / Copperplate / Estampe en taille douce

Bild	Print	Image	9,4 × 5,6 cm
Platte	Plate	Plaque	10,9 × 20,0 cm
Blatt	Sheet	Feuille	11,9 × 21,1 cm
Stecher	Engraver	Graveur	G. Bickham jun. inv. sc. 1722

(Bes./Colln.: Ldr.)

Die Brüder haben die Kette gebildet. Der Logenmeister hat den Schlegel erhoben. Drei Kerzen brennen auf dem Tisch. Hinter den geöffneten Türflügeln glaubt man die musikalische Begleitung zu hören — „Then join hand in hand . . .".

The Brethren have formed the Chain. The Master has raised his gavel. The three Lesser Lights are placed on the table. Through the open doors one seems to hear the musical accompaniment: "Then join Hand in hand. . .".

Les Frères ont formé la chaîne d'Union. Le Vénérable Maître tient son maillet levé. Trois lumières brillent sur la table. Derrière les portes entr'ouvertes, au fond, on croit entendre l'accompagnement musical de la colonne d'harmonie — «Then join Hand in hand. . .».

108

Einsetzung von Robert Burns als „Poet Laureate" der Loge Canongate Kilwinning /
III/g *Installation of Robert Burns as the "Poet Laureate" of Lodge Canongate Kilwinning /*
Installation de Robert Burns comme «Poet Laureat» de la Loge Canongate Kilwinning

Lithographie / Lithograph / Lithographie

Bild	Print	Image	36,3 × 23,7 cm
Platte	Plate	Plaque	—
Blatt	Sheet	Feuille	—
Stecher	Engraver	Graveur	—

(Bes./Colln.: Ldr.)

Als Vorlage für diesen Druck diente ein Gemälde von Stewart Watson, welches heute im Hause der Großloge von Schottland hängt. Diesem Druck lag eine Strichzeichnung bei, mit der Angabe, welche Persönlichkeiten auf der Lithographie abgebildet sein sollen. Da es sich um ein späteres Gemälde handelt, ist die Glaubwürdigkeit angezweifelt worden.

The painting by Stewart Watson, in the collection of the GL of Scotland, is the original of this print which was accompanied by the key diagram of the personages shown in the illustration. As this is a later painting, there is some doubt as to the authenticity of the scene.

Une peinture de Stewart Watson qui se trouve actuellement au siège de la Grande Loge d'Ecosse, a servi de modèle à cette image. Un croquis avec l'identité des personnalités représentées sur cette lithographie accompagne ce tableau. Son authenticité a été mise en doute, la peinture lui étant postérieure.

I. Grand Master's Group.

0. Alexander Fergusson, Esq., of Graigdarroch—R.W.M.
1. The Hon. Francis Charteris (Lord Elcho)—Grand Master.
2. James Sandilands, 9th Lord Torphichen—R.W.M. 1787-8.
3. Archibald, 11th Earl of Eglinton.
4. James Cunningham, Earl of Glencairn.
5. David, Earl of Buchan.

II. Depute Master's Group.

6. Charles More, of the Royal Bank of Scotland—Depute Master.
7. Patrick Millar, of Dalswinton.
8. James Dalrymple, of Orangefield.
9. Sir John Whiteford, of Ballochmyle.
10. Sir William Forbes, of Pitsligo, Bart.

III. Secretary's Group.

11. John Mercer, Secretary.
12. William Mason—Grand Secretary.
13. Robert Meikle, (absent).
14. James Burnet, Advocate (Lord Monboddo).
15. The Hon. Henry Erskine, Dean of Faculty—R.W.M. 1780.

IV. Treasurer's Group.

16. George Spankie, Treasurer.
17. Fletcher Norton, Baron Norton of the Exchequer.
18. Henry Mackenzie, Author of "The Man of Feeling."
19. The Hon. William Gordon (Lord Kenmure).
20. Alexander Cunningham, Jeweller.

V. Senior Warden's Group.

21. William Dunbar—Senior Warden. R.W.M. 1788.
22. Kenneth Love, Tailor and Clothier for Lodge.
23. William Nicol, of the High School.
24. William Cruickshank, of the High School.
25. Louis Cauvin, French Teacher.

VI. Musician's Group.

26. Allan Masterton, Composer of Music.
27. Signor Stabilini, Violinist.
28. James Tytler, Author, etc.
29. Thomas Neil, Precentor of Old Tolbooth Church.
30. John Dhu—Grand Tyler.
31. Alexander Campbell, Organist, etc.
32. John Campbell, Teacher of Music.
33. Samuel Clark, Organist of Cowgate Chapel.
34. Geordie Cranstoun, Vocalist.
35. J. G. C. Schetky, Musician.

VII. Chaplain's Group.

36. Professor Dugald Stewart.
37. William Creech, Publisher.
38. Peter Williamson (Aberdonian)
39. William Smellie, Publisher.
40. Peter Hill, Bookseller.

VIII. Grand Treasurer's Group.

41. Sir James Hunter Blair—Grand Treasurer.
42. Francis, 7th Lord Napier.
43. James Boswell, of Auchinleck, Biographer of Johnson.
44. Alexander Nasmyth, Limner.
45. James Johnson, Music-seller, etc.

Group IX.

46. Captain Francis Grose, F.A.S., of London and Perth.
47. James Gregory, M.D.
48. Alexander Wood, Surgeon.
49. David Ramsay, Journalist.
50. John Gray, W.S., City Clerk.

X. Junior Warden's Group.

51. John Millar, Advocate, The Historian.
52. Captain Fr. Bartlet, of Milton House.
53. Robert Ainslie, Writer to the Signet.
54. William Woods, Tragedian.
55. A Visiting Brother.

Group XI.

56. The Tyler.
57. Figure representing *Secrecy*.
58. Figure representing the *Light of Masonry*.
59. Portrait of William St. Clair of Rosslyn.
60. Henry Sedgefield, Royal Navy.

109 *Der Turmbau zu Babel / The Tower of Babel / La construction de la Tour de Babel*

Kupferstich / Copperplate / Estampe en taille douce

III/h	Bild	Print	Image	7,3 × 11,0 cm
	Platte	Plate	Plaque	—
	Blatt	Sheet	Feuille	10,3 × 17,7 cm
	Stecher	Engraver	Graveur	—

Aus dem Buch / From the book / Extrait du livre
L'ADOPTION OU LA MAÇONNERIE DES DAMES. 1783
(Bes./Colln.: Ldr.)

Das Motiv des Turmbaues zu Babel erscheint als Graphik wohl zum ersten Male in: La Franc-Maçonne —, 1744, Pl. I..

Der vorliegende Stich ist hiervon genau abgekupfert. Die (Jakobs-)Leiter und das Schiff ohne Mast (Arche) erscheint noch häufig in verschiedenen Systemen, während der Turmbau bald als Symbol verschwindet.

The theme of the construction of the Tower of Babel probably appeared for the first time as an illustration in 'La Franc-Maçonne' . . .; 1744, Pl. I.

The present engraving is an accurate copy of this. The Jacob's-ladder and the Ark appear frequently in different Systems, whilst the Tower soon disappeared from use as a symbol.

Le sujet de la construction de la Tour de Babel apparaît probablement pour la première fois comme expression graphique dans: La Franc-Maçonne. . . 1744, Pl. I.

La présente gravure en est une copie fidèle. L'échelle de Jacob et la barque sans mât (l'Arche de Noé) apparaissent fréquemment dans de nombreux systèmes, alors que la construction de la Tour comme symbole disparaît.

110 *Sarkastische Betrachtungen zum Turmbau / Satirical cartoon on the Tower of Babel / Considérations sarcastiques à l'encontre de la construction de la Tour*

111 *Die „fünf-Punkte" auf dem Titelblatt / The fPoF on the title page / Les «5 points» sur la page de titre*

III/h

Kupferstich / Copperplate / Estampe en taille douce

Bild	Print	Image	12,0 × 11,3 cm
Platte	Plate	Plaque	12,7 × —
Blatt	Sheet	Feuille	15,3 × 16,7 cm
Stecher	Engraver	Graveur	

Aus dem Buch / From the book / Extrait du livre
BRUCHSTÜCKE ZUR GESCHICHTE DER DEUTSCHEN FREYMÄUREREY.
Servati = Sautier. Basel 1787 bey Flick. (Bes./Colln.: Ldr., Bibliogr.: Wo 1383 Kl. 2932)

Zu damaliger Zeit war Sautier als Jesuit einer der schärfsten Gegner der Freimaurerei. Seine satirische Waffe hat auf diesem Stich alle Zweige der Freimaurerei treffen wollen: links — der Rosenkreuzer verbrennt sein Gold, um den Stein der Weisen zu finden; ein Magus mit seinem Zauberstab und noch viel mehr Gleichsinniges.

Im Gegensatz dazu der schöne runde Kupferstich (111), auf dem Titelblatt die „fünf Punkte". Diese Graphik sollte wohl eine bewußte Irreführung des Käufers sein. Der Entwurf stammt von P. W. Schwartz, der Stecher ist I.S. Walwert.

Sautier, a Jesuit, was at this time one of the greatest opponents of Freemasonry. The weapon of his satire has in this engraving attempted to strike at every branch of Freemasonry: left, the Knight Rose-Croix is burning his gold in order to find the Philosopher's Stone; a wizard with magic wand; an ape acting as outer guard, and more in the same vein.

In contrast to this the beautiful circular engraving (111) on the title page, with the fPoF. This was probably intended to mislead the purchaser. The design is by P. W. Schwartz, the engraver was I. S. Walwert.

A cette époque, Sautier, Jésuite, était un des adversaires les plus acharnés de la Franc-Maçonnerie. Sur cette gravure, il a utilisé toutes les armes de son esprit satirique pour toucher toutes les branches de la Franc-Maçonnerie: à gauche le Rose-Croix brûle son or pour trouver la pierre philosophale; un magicien brûle sa baguette magique; et bien d'autres encore.

En opposition la belle gravure ronde sur la page de titre (111), des «5 Points» (de maîtrise). Ce dessin devait certainement induire l'acheteur en erreur. Le dessin est de P. W. Schwartz, le graveur I. S. Walwert.

Kön. BauKunst im 18. Jahrhund.

Hemme, Schœpfer Geist, den Bau; verbreite   Daß sie ungetäuscht, beschämt noch heute

Mehr Verwirrung über ihren Sinn: Weg vom Bau des neuen Babels ziehn!

112 *Triumph der liberalen Ideen Kaiser Josephs / Triumph of the liberal views of the Emperor Joseph / Triomphe des idées libérales de l'Empereur Joseph*

III/i	Kupferstich / Copperplate / Estampe en taille douce			
	Bild	Print	Image	20,7 × 32,2 cm
	Platte	Plate	Plaque	21,4 × 33,5 cm
	Blatt	Sheet	Feuille	33,5 × 49,6 cm
	Stecher	Engraver	Graveur	—

(Bes./Colln.: Ldr.)

Dieser Stich ist einer der vielen Abkupferungen (Plagiate) des Originals von C. J. Mettenleiter, Wien. Es zeigt aber auch, welches Aufsehen das Vorgehen Kaiser Josephs gegen Korruption und Gewalt auf Veranlassung von Feßler (vgl. 104) gemacht hat.

Zur damaligen Zeit glaubte der Kaiser, daß die Freimaurerei ihm gegen alle aufgedeckten Mißstände helfen könne. Symbolisch zeigt dies der aufsteigende Bruder mit der Lampe, der alle Hindernisse überwindet.

This engraving is one of the many copies made after the original of C. J. Mettenleiter, Vienna. But it also bears witness to the considerable stir produced by the Emperor Joseph's action, at Fessler's suggestion *(Cf.* 104), against corruption and the abuse of power.

At that time the Emperor believed that Freemasonry would be of help to him in his fight against the unsavoury state of affairs which had been revealed. This is symbolically illustrated by the Mason holding a lamp and who overcomes all obstacles in climbing to the summit.

Cette gravure est une des nombreuses copies (plagiat) des originaux de C. J. Mettenleiter, Wien. Mais elle montre également l'emotion suscitée par l'action de l'empereur Joseph, à l'instigation de Fessler, *(cf.* 104) contre la corruption et la violence.

A cette époque l'empereur croyait que la Franc-Maçonnerie pourrait l'aider dans son action contre tous les scandales qui venaient d'être découverts. Ceci est représenté symboliquement par le Frère qui se hisse avec la lampe et qui surmonte tous les obstacles.

113 *Der Sieg der Aufklärung / The Victory of Enlightenment / Le triomphe de la lumière*

Kupferstich / Copperplate / Estampe en taille douce

III/i

Bild	Print	Image	—
Platte	Plate	Plaque	34,5 × 50,0 cm
Blatt	Sheet	Feuille	40,5 × 54,5 cm
Stecher	Engraver	Graveur	—

(Bes./Colln.: Hist. Mus. Wien)

Die Kirchen und Klöster sind gesäubert. Der Kaiser wird umjubelt. In der Mitte des Bildes wieder der MONS PHILOSOPHORUM, übernommen von den Gold- und Rosenkreuzern, die in Wien eine starke Position innehatten.

Der Freimaurer mit der Lampe hat den Berg erklommen. Als Lohn wird ihm das endgültige Ziel gezeigt.

Ausführliche Besprechung beider Stiche 112 und 113 in: Beyer, Das Freimaurer Museum. Bd. VI, 1931, S. 222 ff.

Churches and monasteries have been cleansed. Jubilation greets the Emperor. In the centre the 'mons philosophorum', from the System of the Gold and Rose Croix which was very strong in Vienna at this time. The Freemason with the lamp has climbed to the top of the mount. As reward he is shown the ultimate goal.

For a more detailed discussion of both engravings 112 and 113 see Beyer: Das Freimaurer Museum (The FM Museum), vol. VI, 1931, pp. 222 ff.

Les églises et les couvents sont purifiés. L'empereur est acclamé. Au centre de l'image on retrouve le MONS PHILOSOPHORUM tiré de la symbolique des Chevaliers Or- et Rose-Croix, qui avaient une position solide à Vienne.

Le Franc-Maçon, porteur de la lampe, a gravi la montagne. En récompense le but final lui est révélée.

Une explication détaillée des gravures 112 et 113 se trouve chez: Beyer, Das Freimaurer Museum, Tome VI, 1931, P. 222 et suiv. (Le Musée maçonnique.)

Omnis arbor, quæ non facit
Fructum bonum excidetur_____

Matthæus cap: VII v. 19.

Tout arbre, qui ne fait pas
bon Fruit, est coupé _ _ _ _

Math: cap: VII v. 19.

Ein jeglicher Baum, der nicht gute Früchten bringt, wird ausgehauen _ _ _ _ *Matth: cap: VII v: 19.*

Publie, e se vend à Vienne chez Christoph Torricella Marchand d'Estampes et Editeur de Musique &.

114　*Werkleute am Bau / Workmen at Labour / Les ouvriers à pied d'oeuvre*

III/j　Kupferstich / Copperplate / Estampe en taille douce

Bild	Print	Image	8,9 × 15,1 cm
Platte	Plate	Plaque	—
Blatt	Sheet	Feuille	9,7 × 18,5 cm
Stecher	Engraver	Graveur	Ost: et Cöntgen. Sculp. Mogunt.

Aus dem Buch / From the book / Extrait du livre
GRÜNDLICHE NACHRICHT VON DEN FREY-MAURERN...
Franckfurt 1738, Andreäische Buchhandlung. 1. Ausg. (Bes./Colln.: Ldr., Bibliogr.:
Wo 770 Kl. 131)

Ein typisches Bild der ersten Jahre, wahrscheinlich aus England, da es sich um eine Übersetzung von „The Pocket Companion" handelt, mit der „Constitution" von 1723. Im Vordergrund eine Tafel mit den bekannten geometrischen Figuren. Oben in den Wolken: die Sonne, der Mond und die Planeten.

A typical illustration of the early years, probably from England, since this is a translation of "The Pocket Companion" together with the "Constitutions" of 1723. In the foreground a board with the customary geometrical figures. Overhead, in the clouds, the Sun, the Moon and the Planets.

C'est une image typique, probablement d'origine anglaise, car il s'agit d'une traduction du «Pocket Companion» avec la «Constitution» de 1723. Au 1er plan un tableau avec les figures géométriques bien connues. En haut, dans les nuages, le soleil, la lune et les planètes.

115 *Medaille aus Florenz 1733 / Florentine Medal 1733 / Médaille d'origine floren-tine 1733*

III/j Kupferstich / Copperplate / Estampe en taille douce

Bild	Print	Image	4 cm ⌀
Platte	Plate	Plaque	—
Blatt	Sheet	Feuille	—
Stecher	Engraver	Graveur	—

Aus dem Buch / From the book / Extrait du livre
GRÜNDLICHE NACHRICHT VON DEN FREY-MAURERN...
Franckfurt a. Mayn, 1738 Andreäische Buchhandlung. 1. Ausg. (Bes./Colln.: Ldr., Bibliogr.:
Wo 770 Kl. 131)

Diese Medaille wird auf Seite 137 und 138 genau beschrieben. Hier findet sich ein erster Hinweis auf eine geheime Schachtel mit einer Schlange (siehe die Schachtel rechts unten neben der Figur des Harpocrates).

This medal is described in detail on pp. 137–138. In this there is the first mention of a secret box with a serpent; the box can be seen at lower right next to the figure of Harpocrates.

Cette médaille est minutieusement décrite page 137 et 138. Nous trouvons ici pour la première fois une allusion à un coffret secret avec un serpent (voir le coffret à droite, en bas, à côté de la statue d'Harpocrates).

Gründliche
Nachricht
von den
Frey-Maurern,
nebst
angehängter historischen
Schutz-Schrifft.

Franckfurt am Mayn,
Ju der Andreäischen Buchhandlung,
MDCCXXXVIII.

116 *Allegorie auf die Königliche Kunst / Allegory of the Royal Art / Allégorie de l'Art Royal*

III/j Kupferstich / Copperplate / Estampe en taille douce

Bild	Print	Image	6,7 × 11,9 cm
Platte	Plate	Plaque	− × 15,5 cm
Blatt	Sheet	Feuille	10,2 × 10,0 cm
Stecher	Engraver	Graveur	−

Aus dem Buch / From the book / Extrait du livre
ANTI-SAINT-NICAISE
Leipzig 1786 bei F. G. Jacobäer. (Bes./Colln.: Loge Zur Ceder, Han. Bibliogr.: Wo 33 449
Kl. 2326 Taute 818)

Taute schreibt zu diesem Stich: „Das Kupfer stellt einen die Tonsur tragenden, auf den Vatican zeigenden protestantischen Geistlichen und einen Tempelherren im Ornate dar."
Ein so recht stimmungsvolles, fast rührseliges Motiv, wie wir es am Ende des 18. Jahrhunderts oft finden. Es wurde von Kessler, C. F. von Sprengeisen, als Frontispiz für seine Verteidigungsschrift der Strikten Observanz verwendet.

Taute writes concerning this engraving: 'This copperplate represents a tonsured Protestant cleric who is pointing to the Vatican, and a Templar in his regalia.'
An evocative, almost moving subject, as is often the case at the end of the 18th Century. This illustration was used by Kessler, C. F. von Sprengeisen, as frontispiece for his Essay in defence of the Strict Observance.

Taute écrit à propos de cette gravure: «L'image représente un pasteur protestant tonsuré qui montre le Vatican, et un Templier revêtu de son costume officiel.»
Ce motif bien sentimental, presque attendrissant, est typique pour la fin du 18ème siècle. Il fut utilisé par Kessler, C. F. von Sprengeisen, comme frontispice pour sa défense de la Stricte Observance.

117 *Allegorie der Gold- und Rosenkreuzer / Allegory of the Gold and Rose Croix /*
Allégorie des Or- et Rose-Croix

III/j Kupferstich / Copperplate / Estampe en taille douce

Bild	Print	Image	18,7 × 31,2 cm
Platte	Plate	Plaque	—
Blatt	Sheet	Feuille	19,4 × 31,9 cm
Stecher	Engraver	Graveur	— —

(Bes./Colln.: Ldr.)

Im Vordergrund Zirkel, Winkel und Senkblei. Die mittlere Figur stützt sich auf ein Buch und eine Tafel mit geometrischen Figuren. Ihr wird ein lernender Knabe durch eine Gestalt zugeführt, deren Haupt durch einen Zirkel geschmückt ist. Die stehende Frau in der Mitte hat in der rechten Hand das Senkblei und in der linken Hand den Stab Aarons.

In the foreground Compasses, Square and Plumbline. The central figure is leaning on a board with geometrical figures. A boy carrying a book is being led towards this figure by another whose head is adorned with Compasses. The woman standing in the background centre is holding a Plumbline in her right and a staff in her left (yardstick? Aaron's staff?).

Au 1er plan: équerre, compas et fil à plomb. Le personnage central s'appuie sur un livre et un tableau, orné de figures géométriques. Une personne, la tête ornée d'un compas, lui amène un jeune élève. Au milieu, la femme debout tient dans sa main droite le fil à plomb et dans la main gauche la baguette d'Aron.

from 'The Royal Art Illustrated', Lindner, pl. 117

118

Die Zauberflöte / The Magic Flute / La Flûte enchantée

Kupferstich / Copperplate / Estampe en taille douce

III/k

Bild	Print	Image	7,0 × 10,6 cm
Platte	Plate	Plaque	—
Blatt	Sheet	Feuille	9,0 × 12,5 cm
Stecher	Engraver	Graveur	Turvetin del. Mahnke inv.

Aus dem Buch / From the book / Extrait du livre
MAHNKE, MAURER-GESANGBUCH,
Hamburg (1804). (Bes./Colln.: FM. Bayreuth, Bibliogr.: Wo 39 899 Kl. 1639)

Ein später Kupferstich mit einem Bühnenbild aus der Zauberflöte — der freimaurerischen Oper. Es wäre eine interessante Aufgabe gewesen, sämtliche Stiche über Bühnenbilder zu bringen. Gerade die Bühne zeigt sehr schnell die wechselnden Gedanken der Zeit oder eilt ihr sogar voraus.

Schon 1791 erschien der erste Kupferstich über die Zauberflöte.

A late engraving with a scene from the Magic Flute, the Masonic Opera. It would have been interesting to reproduce all available engravings of stage scenery. The stage is particularly sensitive in showing that ideas change with the times, and are often ahead of the popular taste.

The first engraving of the Magic Flute appeared in 1791.

Une gravure tardive, avec une image de scène de l'opéra maçonnique: La Flûte enchantée. Il aurait été intéressant de réunir toutes les gravures montrant des images de scènes. Justement la scène montre immédiatement l'évolution de la pensée de l'époque et souvent, la précède.

La première gravure de la «Flûte enchantée» parut dès 1791.

119 *Freimaurerisches Diorama oder Kulissenbilder / Masonic Diorama or Stage Representations / Diorama Maçonnique ou Gravure de Coulisses á Découper*

III/k *Äußerer Portalrahmen / Outer Proscenium Frame / Encadrement extérieur*

Kupferstich / Copperplate / Estampe en taille douce

Bild	Print	Image	23,5 × 20,0 cm
Platte	Plate	Plaque	—
Blatt	Sheet	Feuille	—
Stecher	Engraver	Graveur	I. Wachsmuth inv. et del. M. Engelbrecht exud.

(Bes./Colln.: Bibl. Nation. Paris)

In der Serie Bild 101.

Diese altkolorierten Stiche wurden ausgeschnitten, um sie dann in einen Bühnenrahmen (vgl. 122) nacheinander oder gleichzeitig zu einer gesamten Szene einzuschieben. Mir wurden die Fotos von Herrn Lecott, Paris, zur Verfügung gestellt.

Sheet 101 of Set.

These coloured engravings were cut out, so that they could be assembled successively or simultaneously in a frame (*cf*. 122) to form a complete scene. These illustrations were made available to me by M. Lecott, Paris.

Image 101 de la série.

Ces vieilles gravures coloriées furent découpées pour être glissées successivement ou simultanément dans un cadre en fonction d'une scène précise (*cf*. 122). Ces photos furent mises à ma disposition par M. Lecott de Paris.

120 *Freimaurer im Gespräch / Freemasons in Discussion / Francs-Maçons en conversation*

Kupferstich / Copperplate / Estampe en taille douce

III/k

Bild	Print	Image	23,5 × 20,0 cm
Platte	Plate	Plaque	—
Blatt	Sheet	Feuille	—
Stecher	Engraver	Graveur	—

(Bes./Colln.: Bibl. Nation. Paris)

In der Serie Bild 103.

Zur Belebung des Vordergrundes sind mehrere Freimaurer an der Weltkugel im Gespräch. Die Werkzeuge und die Bekleidung sind zu sehen.

Sheet 103 of Set.

This insert is intended for the foreground of the diorama: several Freemasons are shown talking informally, grouped about a terrestrial globe. Working Tools and Masonic clothing can be distinguished.

Image 103 de la série.

Pour animer le 1er plan, plusieurs Francs-Maçons sont en conversation près du globe. On remarquera les outils et les décors.

121 *Beratung / Deliberation / Tenue de comité.*

Kupferstich / Copperplate / Estampe en taille douce

III/k
Bild	Print	Image	23,5 × 20,0 cm
Platte	Plate	Plaque	—
Blatt	Sheet	Feuille	—
Stecher	Engraver	Graveur	I. Wachsmuth inv. et del. M. Engelbrecht exud.

(Bes./Colln.: Bibl. Nation. Paris)

In der Serie Bild 105.
Dieser Kupferstich zeigt eine freimaurerische Beratung. Das Blatt stellt den mittleren Teil der Bühne dar.

Sheet 105 of Set.
The engraving represents a Masonic committee. This sheet is intended to be inserted centre-stage.

Image 105 de la série.
Cette gravure représente une tenue de comité maçonnique. Cette feuille montre le centre de la scène.

122 *Bühnen-Gesamtbild / Overall view of Stage / Vue d'ensemble de la scène*

III/k   Kupferstich coloriert / Copperplate / Estampe en taille douce coloriée

Bild	Print	Image	45,0 × 35,5 cm
Platte	Plate	Plaque	— × 51,7 cm
Blatt	Sheet	Feuille	46,5 × 53,0 cm
Stecher	Engraver	Graveur	—

(Bes./Colln.: Bibl. Nationale Paris)

In der National-Bibliothek Paris ist 1943 der vorhandene alte Bühnenrahmen wieder aufgestellt und mit den einzelnen Darstellungen gefüllt worden. Alle Kupferstiche wurden ausgeschnitten und eingeschoben. Dieses Bühnenbild zeigt das vorliegende Foto. Demnach muß es sich um mindestens sechs Kupferstiche handeln.

Kinematographisch und theatergeschichtlich sehr interessant.

In 1943, at the Bibliothèque Nationale in Paris, the existing old outer stage frame was remade and decorated. All the engravings of inserts were cut and assembled into position. This illustration shows the complete view; this suggests that there must be at least six engravings.

A very interesting set, from the viewpoint of theatrical history and in its relation to the cinema.

En 1943 on décora l'ancien cadre de la scène existant à la Bibliothèque Nationale à Paris. Toutes les gravures furent découpées et insérées. La photo représente l'aspect général de la scène. D'après cette représentation il s'agit vraisemblablement d'au moins 6 gravures.

Très intéressant au point de vue histoire du cinéma et du théâtre.

123 *Balsamo-Cagliostro / Balsamo-Cagliostro 1786 / Balsamo-Cagliostro*

Kupferstich coloriert / Copperplate / Estampe en taille douce coloriée

III/l

Bild	Print	Image	45,0 × 35,5 cm
Platte	Plate	Plaque	— × 51,7 cm
Blatt	Sheet	Feuille	46,5 × 53,0 cm
Stecher	Engraver	Graveur	—

(Bes./Colln.: FM. Bayreuth)

In der Arbeit am 1. November 1786 der „Lodge of Antiquity" wurde Balsamo in London endgültig entlarvt. Sein größter Gegner, der Apotheker March, veranlaßte dann die Karikatur von Gilbray. Diese wurde schon am 21. November 1786 „by H. Humphrey, New Bond Street" herausgegeben. Beachtenswert sind die Sprechblasen, welche heute wieder eine so große Rolle spielen.

Die schönste Sprechblase mit typisch englischem Text ist jedoch rechts neben Balsamo: „Nehmen Sie Ihren Hut, Sir, und Gott behüte Sie. Huzza!"

At the meeting on 1 November 1786 of the Lodge of Antiquity in London, Balsamo was finally unmasked. His fiercest opponent had been the apothecary March who commissioned this caricature of Gilbray, and this was promptly published on 21 November 1786 by "H. Humphrey of New Bond Street". Noteworthy are the speech-bubbles which are today again much used.

A typically English comment is contained in the bubble at the right of Balsamo: "Take your Hat, Sir, and God bless you. Huzza!"

Au cours des travaux de la «Lodge of Antiquity» à Londres, en date du 1er novembre 1786, Balsamo fut définitivement démasqué. Son principal adversaire, le pharmacien March, provoqua la caricature de Gilbray. Elle parut déjà le 21 novembre 1786 chez «Humphrey, New Bond Street». A remarquer les bulles, qui actuellement jouent de nouveau un grand rôle.

La plus belle de ces bulles, avec un texte typiquement anglais, est celle qui est à droite de Balsamo: «Prenez votre chapeau Sir, et que Dieu vous garde. Huzza!»

ANECDOTE MAÇONNIQUE.
A MASONIC ANECDOTE.
Arrivé à Londres le 1er Novembre 1786, au frere BALSAMO Soi-disant Prince de Trebisonde, Marquis de Harrat, Comte de Cagliostro, &c. &c. &c.
The event recorded in this plate, happened in London, on the 1st of November 1786, to brother BALSAMO self calli[ng himself] Prince of Trebisonde, Marquis of Harrat, Count Cagliostro, &c. &c. &c.
Abregé de l'histoire du Comte Arabe.
Abstract of the Arabian Count's memoirs.

124 *Die Nacht / Night / La nuit*

III/1

Kupferstich / Copperplate / Estampe en taille douce

Bild	Print	Image	36,5 × 44,4 cm
Platte	Plate	Plaque	40,5 × 48,8 cm
Blatt	Sheet	Feuille	44,4 × 57,7 cm
Stecher	Engraver	Graveur	—

INVENTED PAINTED ENGRAVED & PUBLISHED
by Wm Hogarth, March 25, 1738. According to Act of Par.^{nt}
(Bes./Colln.: Ldr.) Bibliogr. Wo 37211

Der Freimaurer Hogarth hat verschiedene freimaurerische Stiche herausgebracht. Der bekannteste ist wohl der satirische ‚Night' aus den vier Blättern „Die vier Tageszeiten".

Er geißelt die Trinksitten der damaligen Zeit. Der Meister hat noch seine ganze Bekleidung an. Nur den Degen hat ihm der Logendiener abgenommen.

Weitere Beschreibung des Bildes: Lichtenberg, William Hogarth's Zeichnungen. Stuttgart, AQC Vol. LXXVII, S. 1 u. AQC VIII. 1895, S. 138.

Hogarth, a Freemason, published a number of Masonic engravings. The best known is probably the satirical one with the title 'Night', one of four dealing with the various times of the day.

He castigates the drunken customs of his time. The Master is still in Masonic clothing, only his sword has been taken from him by the Lodge servant.

For a more detailed description of this engraving see: Lichtenberg's "William Hogarth's Zeichnungen" (The drawings of William Hogarth), Stuttgart, AQC Vol. LXXVII, p. 1, and Hextall, "William Hogarth and Freemasonry" 1908/09, Leicester.

Le Franc-Maçon Hogarth a publié différentes gravures maçonniques; la plus connue est vraisemblablement cette «Nuit» satirique, faisant partie des 4 tirages: «Les 4 heures du jour».

Il stigmatise les beuveries de l'époque. Le Vénérable (Maître) porte encore tous ses décors. Le Frère-servant ne l'a débarassé que de son epée.

Voir pour de plus amples détails: Lichtenberg, William Hogarth's Zeichnungen. Stuttgart.

125 *Aufnahme eines französischen Freimaurers / A French Initiation / Initiation d'un Franc-Maçon français*

III/l	Lithographie	Lithograph	Lithographie	oval ca. 21,5 × 22,0 cm
	Sonderdruck	Separate reprint	Tirage spécial	Dessin Honoré Daumier nach 1840

(Bes./Colln.: Ldr.)

Der Suchende, wahrscheinlich aus Neugierde zur Freimaurerei gekommen, sieht sich dem Schreckmoment in der Aufnahme gegenüber. Ergeben hat er die Hände gefaltet; die Augen weit vor Schreck aufgerissen, scheint er in sich zusammengesunken zu sein. Die linke Hand des Einführenden scheint den Suchenden mehr zu erdrücken als zu leiten. Der Dolch ist gefährlich auf die Brust gerichtet. Selbst die Haare spiegeln wunderbar die Haltung der beiden wieder. Für Daumier durften für diese Karikatur die Augen des Suchenden nicht verbunden sein.

Ob Daumier Freimaurer war, hat sich nicht feststellen lassen.

Weiteres in: Lindner, Freimaurerisches Brauchtum in Bildern 1730–1840, Bayreuth 1969.

The Candidate, probably attracted to Freemasonry out of curiosity, is shown being challenged on his Initiation. He has folded his hands in surrender, his eyes bulge with fear, he seems to shrink into himself. The left hand of his challenger seems to press the Candidate down rather than to guide him. The poignard is dangerously poised towards his ribs. Even the hair of the two characters mirrors their comportment beautifully. Daumier could not allow his Candidate to be blindfolded for this caricature.

It has not been possible to ascertain whether Daumier was a Freemason.

See: Lindner, Freimaurerisches Brauchtum in Bildern (Masonic Usage Illustrated) 1730–1840, Bayreuth 1969.

Le postulant, probablement venu à la Maçonnerie par curiosité, se trouve ici au moment précis de la terreur de l'initiation. Résigné, il a joint les mains, ses yeux sont agrandis par la terreur, il semble désemparé. La main gauche de son conducteur semble plutôt désorienter le profane que le guider. Le poignard est pointé contre sa poitrine. Seuls les cheveux reflètent magnifiquement l'attitude des deux personnages. Pour cette caricature Daumier n'a pas voulu que les yeux du postulant soient bandés.

Il n'a pas été possible de savoir si Daumier était Franc-Maçon.

Pour de plus amples détails, voir Lindner, Freimaurerisches Brauchtum in Bildern 1840, Bayreuth 1969.

126 Schadow's Spottbild „Billardsaal" / Schadow's Cartoon "Billiard Room" / Caricature de Schadow: «La salle de billard»

III/1 Kupferstich / Copperplate / Estampe en taille douce

Bild	Print	Image	10,8 × 9,8 cm
Platte	Plate	Plaque	—
Blatt	Sheet	Feuille	12,0 × 10,8 cm
Stecher	Engraver	Graveur	J. G. Schadow

(Bes./Colln.: Ldr.)

Auch im Bereich der Freimaurerei war es im 18. Jahrhundert üblich, bei Spottblättern die Personen durch Tiere zu ersetzen.

Makowsky schreibt in seinem Buch „Schadow's Graphik", Berlin 1936, zu diesem Stich auf Seite 33: „Erst die Kenntnis aller Umstände und aller Persönlichkeiten liefert den Schlüssel zum Verständnis der drei Spottblätter Schadow's auf die Freimaurerei; — Auf allen dreien ist Feßler die Hauptfigur; man erkennt ihn an der Kutte. Was aber bedeuten die faunisch zugespitzten Ohren, die Schadow's Spottlust ihm angeheftet hat? — Mit dem gleichen Kopfschmuck sind einige Brüder in dem ‚Billardsaal' bedacht, also wohl Parteigänger Feßlers. Andere tragen Hundsköpfe, es sind die alten Anhänger des verstorbenen Le Bauld de Nans, die Opfer eines Wortspieles: le Baud heißt auf deutsch: Parforce- oder Windhund."

The cartoonists' substitution of animals for people, customary in the 18th Century, did not let Freemasonry escape unscathed.

Makowsky writes, in his book "Schadow's Graphik" (Schadow's Graphic Art) Berlin 1936, p. 33, concerning this engraving: "Only a knowledge of all the circumstances and all the personalities provides the key for an understanding of Schadow's three caricatures of Freemasonry; — on all three Fessler is the principal figure; he can be recognised by the habit he is wearing. But what is the meaning of the pointed faun's ears which Schadow's love of ridicule has attached to his head? — Several of the other Brethren in the 'Billiard Room' wear the same headdress, thus they are probably supporters of Fessler's. Others have dog's heads, and these are the old allies of the late Le Bauld de Nans, victims of a play on words: le Baud signifies a coursing hound or greyhound."

Au 18ème siècle, il était d'usage dans les caricatures maçonniques, comme ailleurs, de remplacer les personnes par des animaux.

Makowsky écrit dans son ouvrage «Schadow's Graphik», Berlin 1936 page 33, à propos de cette gravure: «Seule la parfaite connaissance du déroulement rituellique et des personnages nous permet de comprendre les 3 caricatures maçonniques de Schadow. Sur toutes les 3, Fessler est le personnage principal: on le reconnaît à son habit. Mais que signifient les oreilles en pointe, faunesques, que la verve caricaturale de Schadow lui a données? Quelques-uns des Frères dans la 'salle de billard' sont affublés d'une coiffure semblable, probablement des partisans de Fessler! D'autres ont des têtes de chien, probablement les vieux partisans du défunt Le Bauld de Nans, victime d'un jeu de mots: an allemand le Baud signifie: «parforce ou lévrier.»

127 *Aufnahme in den Mopsorden 1745 / Initiation into the Order of Mopses 1745 / Initiation dans l'Ordre des Mopses 1745*

III/m   Kupferstich / Copperplate / Estampe en taille douce
        Bild   Print   Image   7,7 × 2,6 cm
        Platte Plate   Plaque   9,0 × 14,1 cm
        Blatt   Sheet   Feuille   9,5 × 15,3 cm
        Stecher Engraver Graveur   S. Focke

Aus dem Buch / From the book / Extrait du livre
L'ORDRE DES FRANCS-MAÇONS TRAHI, ET LE SECRET DES MOPSES RÉVÉLÉ,
a Amsterdam, 1745, bei Jean Néaulme, 1. Ausgabe. (Bes./Colln.: Ldr., Bibliogr.: Wo 29 963
Kl. 1860)

Dieser erste Kupferstich über den Mops-Orden (einer Persiflage der Freimaurerei) zeigt die Aufnahme einer „Möpsin". Der Aufzunehmenden sind die Augen verbunden und eine Kette ist ihr über die Arme gebunden. Ein Mops aus Stoff wird ihr zum Kuß gereicht. Der Mops war im 18. Jahrhundert als Schoßhund groß in Mode.

This first engraving concerning the Order of Mopses — a caricature of Freemasonry — shows the Initiation of a Mops. The Candidate is blindfolded, and a chain is tied to both her wrists. A mops — a breed of lapdog fashionable in the 18th Century — made of stuffed material is presented for her to kiss.

Cette première gravure sur l'Ordre des Mopses (une caricature de la Maçonnerie) montre l'initiation d'une «Mopse.» Les yeux de la postulante sont bandés et une chaîne est nouée autour de ses bras. On lui présente un «Mopse» (Chien) en étoffe, pour qu'elle l'embrasse.

S. Fokke f.

128 *Logenplan der Möpse / Plan of a Mops Lodge / Tableau de Loge des Mopses*

III/m
Kupferstich / Copperplate / Estampe en taille douce

Bild	Print	Image	—
Platte	Plate	Plaque	13,5 × 13,6 cm
Blatt	Sheet	Feuille	15,0 × 22,0 cm
Stecher	Engraver	Graveur	S. Focke fe.

Aus dem Buch / From the book / Extrait du livre
L'ORDRE DES FRANCS-MAÇONS TRAHI, ET LE SECRET DES MOPSES RÉVÉLÉ.
A Amsterdam, 1745 a Amsterdam, bei Jean Néaulme. 1. Ausg. (Bes./Colln.: Ldr.,
Bibliogr.: Wo 29 963 Kl. 1860)

Dieser Kupferstich zeigt die Anordnung innerhalb der Mopsloge und die Gebrauchsgegenstände. Die Aufzeichnung erfolgte mit Kreide auf dem Fußboden. Der Kreis ‚Y' ergibt die Standorte der Teilnehmer nach der Aufnahme, wenn der/die Aufgenommene alle durch Kuß begrüßt.

This engraving shows the arrangement of the Mops Lodge and its furniture. This 'tracing board' was made with chalk directly on the 'lodge' floor. The circle 'Y' shows the line on which all participants were to stand after the Initiation, at which time the new Initiate (man or woman) would greet all present with a kiss.

Cette gravure représente la disposition intérieure d'une Loge de Mopses et les outils de travail. Le tableau de Loge est tracé à la craie sur le sol. Le cercle «Y» indique les places des participants, après la réception, quand le ou la récipiendaire les salue par l'accolade.

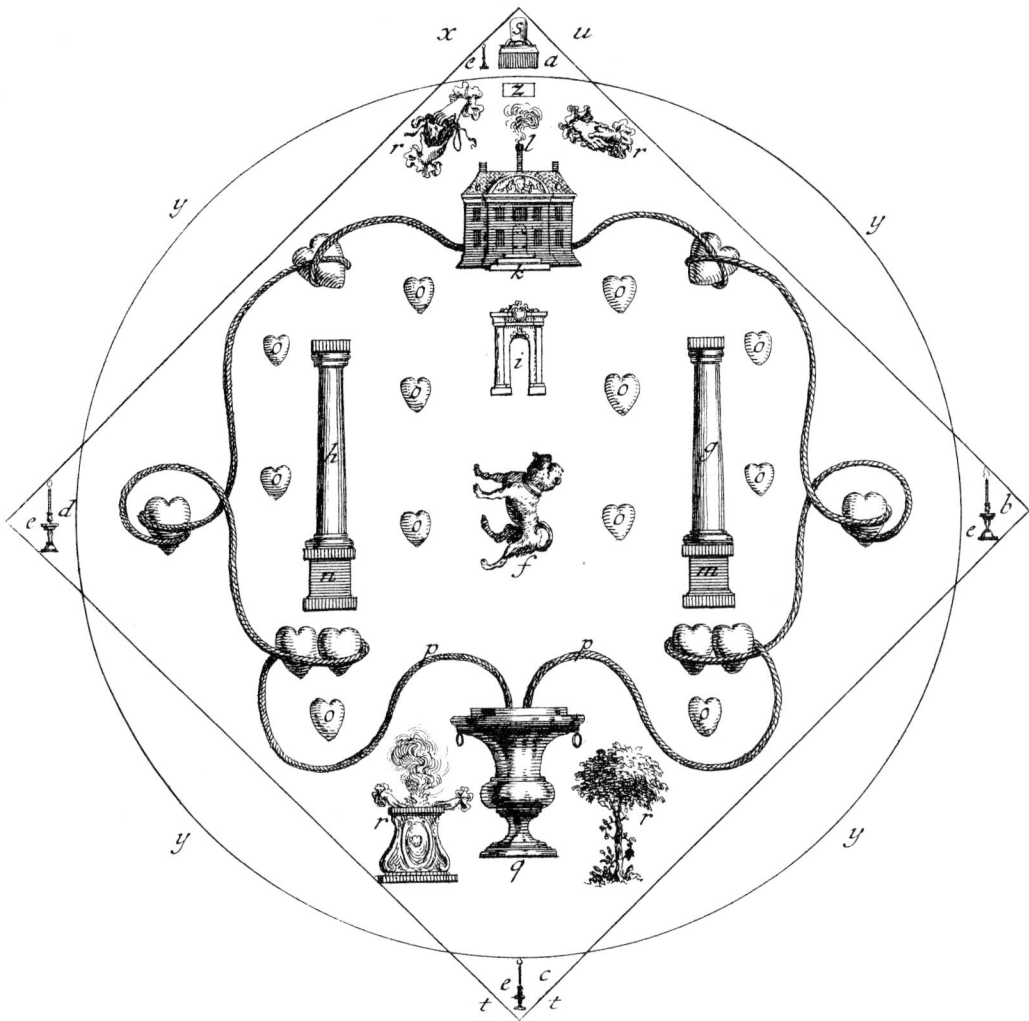

PLAN DE LA LOGE

DES MOPSES.

a. Orient.
b. Midi.
c. Occident.
d. Septentrion.
e. e. e. e. Les quatre Lumières.
f. Mopse, ou Doguin.
g. Fidélité.
h. Amitié.
i. Porte qui conduit au Palais de l'Amour.
k. Palais de l'Amour.
l. Cheminée de l'Eternité.
m. Sincérité.
n. Constance.
o. o. o. o. Cœurs semés.

p. p. Cordon du Plaisir, qui lie les Cœurs.
q. Vase de la Raison.
r. r. r. r. Divers Symboles de l'Amitié.
s. Maitre de la Loge, ou Grand-Mopse, assis devant la Table.
t. t. Surveillans.
u. Etrangers & Etrangères.
x. Officiers & Officières.
y. y. y. y. Frères & Sœurs, placés indifféremment.
z. Trape que l'on pratique dans quelques Loges, & sur laquelle on place le Récipiendaire, pour l'élever en l'air, tandis qu'il a les yeux bandés.

Zeichnung zu der Loge der Mopse.

a Osten.
b Süden.
c Westen.
d Norden.
e e e vier Lichter.
f der Mops.
g die Treue.
h die Freundschafft.
i das Thor, welches zum Pallast der Liebe führet.
k der Pallast der Liebe.
l der Schorstein, der die Einigkeit bedeutet.
m die Aufrichtigkeit.
n die Beständigkeit.
o die Hertzen, womit der Boden besät ist.

p p das Band der Wollust, welches die Hertzen umschläget.
q das Gefäß der Vernunft.
r r allerley Sinnbilder der Freundschaft.
s der Meister der Loge oder Mops, hinter einem Tisch sitzend.
t t die Vorsteher.
u die Freunde beyderley Geschlechts.
x die Beamten beyderley Geschlechts.
y y y y die Brüder und Schwestern, so ohne untereinander vermischt stehen.
z die Fallthüre, die man in verschiednen Logen anbringt, der Neuaufzunehmenden, damit unvermerckt von dem Boden zu erhöhen.

129

III/m

Die Adoptionsmaurerei / Adoptive Masonry / La Maçonnerie d'adoption

Kupferstich / Copperplate / Estampe en taille douce

Bild	Print	Image	7,8 × 11,4 cm
Platte	Plate	Plaque	9,0 × 13,5 cm
Blatt	Sheet	Feuille	10,4 × 17,3 cm
Stecher	Engraver	Graveur	—

Aus dem Buch / From the book / Extrait du livre
DIE FREYMÄURER IM FISCHBEIN-ROCKE.
Frankfurth und Leipzig 1775. (Bes./Colln.: Ldr., Bibliogr.: Wo 43 210 Kl. 2116)

Der hier angeführte Catechismus macht einen wesentlich besseren Eindruck als der des Mopsordens. Da der Hund resp. Mops nicht erwähnt wird, scheint es sich um eine Adoptionsloge zu handeln. Der Stich zeigt so recht, in welcher Art und mit welchem Aufwand diese Frauenlogen, oder besser gesagt: gemischten Logen geführt wurden.

The catechism given here makes a very much better impression than that of the Mops Order. As there is no mention of a dog, this is probably a Lodge of Adoption. This engraving gives some indication in what manner and with what display these women's lodges, or rather mixed lodges, were held.

Le catéchisme cité ici fait nettement meilleure impression que celui des mopses. Comme il n'y a aucune allusion au chien (Mopse), il s'agit probablement d'une Loge d'adoption. La gravure montre bien de quelle façon et avec quel décorum ces Loges féminines, ou plutôt ces Loges mixtes, étaient tenues.

130 *Freimaurerisches Motiv bei David Teniers? / Masonic Subject by David Teniers? / Motif maçonnique chez David Téniers?*

III/n   Kupferstich / Copperplate / Estampe en taille douce

Bild	Print	Image	50,7 × 36,3 cm
Platte	Plate	Plaque	—
Blatt	Sheet	Feuille	—
Stecher	Engraver	Graveur	Lépicié 1747. Peint par David Teniers

(Bes./Colln.: FM. Bayreuth, Bibliogr.: WoB 9167)

Schon 1963 machte mich Dr. Beyer, Bayreuth, auf diese Kuriosität aufmerksam. Treuherzig gibt der Stecher als Maler „Teniers" an. Teniers lebte von 1610 bis 1690. Er malte hier eine bäuerliche Szene, aber nichts von Freimaurerei.

1747 war aber ein freimaurerisches Motiv sehr gut zu verkaufen. Also lautete die Unterschrift „LES FRANCS MAÇONS FLAMANDS EN LOGE", dazu noch ein schöner Vers. Sicher lief der Umsatz gut, selbst heute noch (1972) in einer Versteigerung.

As early as 1963, Dr Beyer, Bayreuth, brought this curiosity to my attention. The engraver mentions truthfully that the original oil painting was by Teniers, who lived from 1610 to 1690. In this scene, Teniers painted a rustic subject, but nothing of Freemasonry.

But in 1747 there was a good market for Masonic subjects. Thus this representation received the title "Flemish Freemasons in Lodge", with a pretty verse added. Doubtless there were buyers for this "Masonic" subject, and doubtless there still are today, in the auction rooms.

Dès 1963 le Dr. Beyer, Bayreuth, me signala a cette «curiosité». En toute bonne foi le graveur cite comme peintre Téniers. Téniers vécut de 1610 à 1690. Il peint ici une scène paysanne qui n'a rien à voir avec la Maçonnerie.

Mais en 1747 un motif maçonnique se vendait très bien. La légende était donc: «Les Francs-Maçons flamands en Loge». Un vers bien tourné l'accompagne. La vente en fut certainement rentable, et le serait encore même aujourd'hui dans une vente aux enchères.

131

III/n

Pseudo-Aufnahme / Pseudo-Initiation / Pseudo-Initiation

Kupferstich / Copperplate / Estampe en taille douce

Bild	Print	Image	10,1 × 14,0 cm
Platte	Plate	Plaque	11,0 × 14,9 cm
Blatt	Sheet	Feuille	13,0 × 22,0 cm
Stecher	Engraver	Graveur	—

Frontispiz aus dem Buch / Frontispiece from the book / Frontispice extrait du livre
ISTITUZIONE RITI E CERIMONIE DELL' ORDINE DE' FRANCS-MAÇONS OSSIAN LIBERI
MURATORI . . .
In Venezia, 1785 Presso Leonardo Bassaglia. Con Licenza de' su' Periori. (Bes./Colln.: Ldr.,
Bibliogr.: Wo 29 997 Kl. 1924)

Der erste Eindruck täuscht eine Aufnahme im 1. Grad der Stricten Observanz vor. Die verbundenen Augen — die zerbrochene Säule — allerdings mit der Unterschrift des 2. Grades statt ADHUC STAT!

Betrachtet man jedoch das folgende 132. Bild, so sieht man sofort, daß hier die handelnden Personen im Vordergrund in der Mitte durchgeschnitten sind. Einige Bilder und Sprüche hinzugefügt — ein neues „freimaurerisches" Motiv war geboren.

Weiteres in Lindner, Freimaurerisches Brauchtum in Bildern 1730—1840. Bayreuth 1969, 25. Bild.

The first impression suggests an Initiation in 1° of the Strict Observance. The blindfold — the broken column — but with the legend of 2° instead of 'adhuc stat'!

But if we go on to regard the next illustration, Plate 132, we discover immediately that the personages in the foreground of the latter have been "lifted", and the groups divided vertically about the centre. A number of pictures and legends have been added in to make the background plausibly complete, and lo! A new "Masonic" motif was born.

See also Lindner, Freimaurerisches Brauchtum in Bildern (Masonic Usage Illustrated) 1730—1840, Bayreuth 1969, Plate 25.

A première vue, on a l'impression d'assister à une initiation au ler degré, au rite de la stricte Observance: les yeux bandés, — la colonne brisée, — mais contrairement avec la légende du 2ème degré au lieu de: Adhuc stat!

L'examen attentif de l'image 132 nous montre immédiatement que les acteurs du ler plan sont coupés au milieu. On rajoute quelques images et sentences, et voilà un nouveau motif «maçonnique».

Se rapporter pour d'autres détails à: Lindner, Freimaurerisches Brauchtum in Bildern 1730—1840, Bayreuth, 1969, image 25.

Adhuc stat. *Trebit obliqua*

In Silentio, et Spe Fortitudo nostra.

Et tenebræ eam non comprehenderunt.

132 Logenliste (London 1735) / Lodge Register (London 1735) / Etat numérique de Loges (Londres 1735)

III/n   Kupferstich / Copperplate / Estampe en taille douce

Bild	Print	Image	40,5 × 31,0 cm
Platte	Plate	Plaque	42,0 × 33,3 cm
Blatt	Sheet	Feuille	49,0 × 37,3 cm
Stecher	Engraver	Graveur	I. F. D. B. inv. I. F. del.

Kupferstich aus dem Buch / Copperplate from the book / Gravure extrait du livre
CEREMONIES ET COUTUMES RELIGIEUSES DE TOUS LES PEUPLES DU MONDE, REPRESENTEES PAR DES FIGURES DESSINEES DE LA MAIN DE BERN. PICART AVEC UNE EXPLICATION HISTORIQUE, ET QUELQUES DISSERTATIONS CURIEUSES. TOME QUATRIEME, AMSTERDAM CHEZ J. F. BERNARD 1736.
(Bes./Colln.: Ldr., Bibliogr.: Wo 33 381 Kl. 3799)

Seit 1723 wurden in London offiziell von der Großloge Verzeichnisse der anerkannten Logen in aller Welt gedruckt. (Vgl. Neues Constitutionen-Buch von Anderson, Frankfurt 1741, Seite 251, NV III). Als Vorlage für diesen Kupferstich dienten I. F. die von John Payne, London, ab 1725 gestochenen Logenlisten.

Ebenso interessant ist jedoch für uns der Vordergrund, welcher wahrscheinlich die Vorbereitung zu einer Arbeit zeigt.

Weiteres in Lindner, Freimaurerisches Brauchtum in Bildern 1730—1840, Bayreuth 1969, 24. Bild.

Beginning in 1723, official lists or registers were printed by GL. of all recognised Lodges throughout the world (cf. New Book of Constitutions by Anderson, Frankfurt 1741, p 251, NV III). The pattern for this engraving by I. F. were the London Lodge Registers engraved from 1725 onward by John Payne.

The foreground is equally interesting, and probably shows a preparation for Labour.

Further details in Lindner, Freimaurerisches Brauchtum in Bildern (Masonic Usage Illustrated)1730—1840, Bayreuth 1969, Plate 24.

A partir de 1723 la Grande Loge à Londres fit imprimer officiellement un annuaire de toutes les Loges reconnues du monde entier. (Cf. Neues Constitutionen-Buch von Anderson, Francfort 1741, page 251 NV. III). Le modèle pour cette gravure fut sans doute pour I. F. la liste des Loges gravées par John Payne à Londres à partir de 1725.

Pour de plus amples détails, voir Lindner, Freimaurerisches Brauchtum in Bildern 1730—1840, Bayreuth 1969, Image 24.

133 *Überführung von Br. Warren nach Boston / The Translation of Bro Warren's Mortal Remains to Boston / Transfert du Frère Warren à Boston*

III/o Stahlstich / Steel Engraving / Gravure sur acier

Bild	Print	Plaque	16,6 × 10,3 cm
Platte	Plate	Plaque	—
Blatt	Sheet	Feuille	—
Stecher	Engraver	Graveur	Compagnon Sculpt.

Stahlstich (Planche 11) aus dem Buch / Steel Engraving (Planche 11) from the book / Gravure sur acier (Planche 11) tiré du livre
HISTOIRE PITTORESQUE DE LA FRANC-MAÇONNERIE ET DES SOCIÉTÉS SECRETES ANCIENNES ET MODERNES; PAR F. T. B. CLAVEL, ILLUSTRÉE DE 25 BELLES GRAVURES SUR ACIER. PARIS. PAGNERRE, editeur 1843.
(Bes./Colln.: Bibliogr.: Wo 3813)

Im Text gibt Clavel an, daß der Großmeister Warren 1775 am 17. Juni in der Schlacht bei Bunker's Hill gefallen ist. Nach Friedensschluß veranlaßte die Großloge die Überführung nach Boston, die unter großer Beteiligung der Brüder stattfand. Diesen Moment zeigt unser Bild.

So übermittelt uns dieser Druck einen alten Brauch, Freimaurern die letzte Ehre (les derniers honneurs) nach vollbrachter winkelgerechter Arbeit zu erweisen.

Weiteres in Lindner, Freimaurerisches Brauchtum in Bildern 1730—1840, Bayreuth 1969, 27. Bild.

In the text, Clavel states that GM Warren fell in the Battle of Bunker's Hill on 17 June 1755. When peace was made, Grand Lodge arranged for the transfer of his remains to Boston, and this took place in the presence of numerous Brethren. This engraving shows the scene.

This engraving, therefore, shows us an old-established custom, that of rendering the Final Honours to a Freemason who has laid down his Working Tools for the last time.

Further details in Lindner, *op cit.*, Plate 27.

Clavel, dans son texte, note que le Grand-Maître Warren est tombé le 17 juin 1775 à la bataille de Bunker's Hill. La paix revenue, la Grande Loge fit procéder à son transfert à Boston; il eut lieu en présence de nombreux Frères. C'est ce que montre la gravure.

Cette gravure nous montre ainsi l'ancienne coutume de rendre les derniers honneurs aux Francs-Maçons, au terme d'une Tenue régulière.

D'autres détails dans: Lindner, Freimaurerisches Brauchtum in Bildern 1730—1840, Bayreuth 1969, Image 27.

from 'The Royal Art Illustrated', Lindres, pl. 133
(FREEMASONRY)

134 *Vater Unser der Freimaurer / Masonic Paternoster / Le Notre-Père des Francs-Maçons*

Lithographie / Lithograph / Lithographie

III/o	Bild	Print	Image	—
	Platte	Plaque	Plaque	—
	Blatt	Sheet	Feuille	52,0 × 65,0 cm
	Stecher	Engraver	Graveur	—

Brückner, Magdeburg. (Bes./Colln.: Ldr., Bibliogr.: Wo 39 518 Taute 2381)

Manches Gedicht von G. H. Wegener aus meiner Loge „Zur Ceder", Hannover, ist erhalten geblieben. Doch keines ist zu seiner Zeit so weit verbreitet gewesen wie dieses um 1845. Es ist in mehrere Sprachen übersetzt worden.

So soll es hier die Zusammenstellung meiner Bild-Dokumentation beschließen, wenn es auch im Stile der damaligen Zeit recht weitschweifig geschrieben ist.

Many a poem by G. H. Wegener from my Lodge "Zur Ceder", Hannover, has survived. But none was so widely known in his own day, about 1845, as this. It has been translated into several languages.

And so, may it close this collection of mine of illustrated documents, even if it was written in the style of another and more effusive time.

De nombreux poèmes de G. H. Wegener de ma Loge «Zur Ceder» ont étés conservés. A cette époque, aucun n'était aussi répandu que celui-ci. Il a été traduit en plusieurs langues.

Que cette oraison termine l'ensemble de ma documentation iconographique même si ce Notre-Père est rédigé dans le style ampoulé de l'époque.

Vater Unser der Freimaurer.

135 *Allegorische Waage / The Allegorical Scales / Balance allégorique*

Silberstift-Zeichnung / Silverpoint Drawing / Dessin au crayon argenté

III/o

Bild	Print	Image	28,0 × 20,2 cm
Platte	Plate	Plaque	—
Blatt	Sheet	Feuille	38,8 × 30,5 cm
Stecher	Engraver	Graveur	—

Unbekannte Silberstift-Zeichnung (Bes./Colln.: Ldr.) Italien.
Anonymous silverpoint drawing (Italy).
Dessin au crayon argenté anonyme (Italie).

LITERATUR

BIBLIOGRAPHIEN – LEXIKA

BOUCHER, La symbolique Maçonnique. Paris 1948
CHEVALIER, Dictionnaire des SYMBOLES. Paris 1969
DTV – LEXIKON, München 1970
GÄDICKE, Freimaurer-Lexikon. Berlin 1818
KLOSS, Bibliographie der Freimaurerei. Frankfurt 1844, Graz 1970
LENNHOFF-POSNER, Internationales Freimaurerlexikon. 1932; Graz 1965
LENNING, Encyclopädie der Freimaurer. Leipzig 1822/24/28
LENNING, Allgemeines Handbuch der Freimaurerei. 3. Aufl. Leipzig 1900/03
MACKEY/CAMPBELL, A Lexicon of Freemasonry. London 1867
MIERS, Lexikon des Geheimwissens. Freiburg 1970
TAUTE, Maurerische Bücherkunde. Leipzig 1886; Graz 1971
WOLFSTIEG/BEYER, Bibliographie der freimaurerischen Literatur, Bd. I–IV, Burg 1911/12, Leipzig 1913/1926. Hildesheim 1964

Bildwerke

BIEDERMANN, Materia Prima. Graz 1973. 86 Bilder
CALVERT, Old engraved Lists of Masonic Lodges. London 1920. 162 Bilder
HANRATH, Het Maçonniek Exlibris. S-Gravenhage 1959. 138 Bilder und 4 Tab.
HANRATH, POTT, UCHELEN, De Beoefening der KONINKLIJKE KUNST in Nederland. S-Gravenhage 1971. 94 Bilder
LINDNER, Freimaurerisches Brauchtum in Bildern 1730–1840. Bayreuth 1969. 28 Bilder
WEINBERG, 200 Jahre freimaurerische Gebrauchsgraphik. Wien 1930. 30 Bilder

I. Teil:

BEYER, Eine interessante Serie maurerischer Kupferstiche des 18. Jahrhunderts. Leipzig 1930. Band V, Das Freimaurermuseum
CLAVEL, Histoire pittoresque de la Franc-Maçonnerie. Paris 1843
DEUTSCH/BEYER, Innenansicht einer Wiener Freimaurer-Loge. Wien 1957 Heft 5, Wiener Schriften.
GUILLEMAIN, Recueil précieux de la maçonnerie adonhiramite. Paris 1787
(NN) Sendschreiben eines Freymäurers an Mylord Robert Truell. (Halberstadt) 1741
(NN) L'Ordre de Francs-Maçons trahi et le Secret des Mopses révélé. Amsterdam 1745, 1. Ausgabe
(NN) Nouveau Catéchisme des Francs-Maçons. 3. Ausgabe (1749)

(NN) Das entdeckte Geheimniß der anti-absurden Gesellschaft. Cöln 1759

(NN) Étrennes aux Francs-Maçons. Paris 1785

(NN) Der verklärte Freymaurer. (Wien) 1791

(NN) Maurerisches Handbuch. Leipzig 1821 Übersetzung von Manuel Maçonnique. Paris 1820

v. SCHÖNHOLZ, Traditionen zur Charakteristik Österreichs. München 1914

RUNKEL, Geschichte der Freimaurerei in Deutschland. Berlin 1931/32.

II. Teil:

ARS QUATUOR CORONATORUM, Volume III. London

(BODE), Chevalier de L'Aigle du Pélican; ou Rosecroix. Weimar (1792?)

FRICK, Die Erleuchteten. Graz 1973

(KÖPPEN) Allerneueste Entdeckung der verborgensten Geheimnisse der hohen Stuffen der Freimaurerei, oder der wahre Rosencreutzer; — nebst dem Noachiten, —. Jerusalem (Berlin) 1768

(KÖPPEN) Les plus secrets Mystères. Jerusalem (Berlin) 1774

LACHMANN, Geschichte und Gebräuche der maurerischen Hochgrade. Braunschweig 1866 (Graz 1974)

(LARUDAN), Les Francs-Maçons écrasés. Amsterdam 1747

NICOLAI, Versuch über die Beschuldigungen welche dem Tempelherrenorden gemacht worden, und über dessen Geheimniß. Berlin 1782

(NN) Die höchsten Grade der hochw. gr. M. L. R. Y. z. Fr. Berlin 1804

SCHIFFMANN, Die Entstehung der Rittergrade in der Freimaurerei um die Mitte des 18. Jahrhunderts. Leipzig 1882 (Graz 1974)

TASCHENBUCH für Freimaurer auf das Jahr 1800. Cöthen und 1798

(von LÖHRBACH) Die theoretischen Brüder oder zweite Stuffe der Rosenkreutzer und ihrer Instruktion —. Athen 1785 (Regensburg)

III. Teil:

BEYER, Das Freimaurer-Museum. Band 1—7

CEREMONIES ET COUTUMES religieuses de tous les peuples du monde, representées par des figures dessinées de la main de Bern. Picart avec une explication historique, et quelques dissertations curieuses. Amsterdam 1723—1743.

MAHNKE, Maurer-Gesangbuch. Hamburg (1804)

(NN) Gründliche Nachricht von den Frey-Maurern. Franckfurt 1738

(NN) Calliope or english Harmony. London 1739

(NN) Die offenbarte Freymäurerey und das entdeckte Geheimniß der Mopse, Aus dem Französischen übersetzt von dem Bruder Phidias. (Vergl. hierzu Bild 102!) Leipzig bey Mumme 1745.

(NN) Die Freymäurerey im Fischbein-Rocke. Frankfurth-Leipzig 1775

(NN) L'Adoption ou la Maçonnerie des Dames. 1783

(NN) Istituzione riti e Ceremonie dell' Ordine de Francs-Maçons. Venezia 1785
(von SPRENGSEYSEN) Anti-Saint-Nicaise. Leipzig 1786
SERVATI (= SAUTIER), Bruchstücke zur Geschichte der deutschen Freymäurerey. Basel 1787
THE POCKET COMPANION and History of Free-Masons. London 1754
WEGENER, Maurerische Gedichte. Hannover 1861
QUATUOR CORONATI, Jahrbuch Nr. 13 — 1976, Bayreuth

Abkürzungen

Werke von GEORG KLOSS

Bibliographie der Freimaurerei und der mit ihr in Verbindung gesetzten geheimen Gesellschaften

Graz 1970. Unveränderter Nachdruck der Ausgabe Frankfurt/M. 1844. 1 Band, 448 Seiten, 8°, Ganzleinen. ISBN 3-201-00012-4

Die Freimaurerei in ihrer wahren Bedeutung aus den alten und ächten Urkunden der Steinmetzen, Masonen und Freimaurer

Graz 1970. Unveränderter Nachdruck der Ausgabe Leipzig o. J. 1 Band, 368 Seiten, 4 Illustrationen, 8°, Ganzleinen. ISBN 3-201-00296-8

Geschichte der Freimaurerei in England, Irland und Schottland aus ächten Urkunden dargestellt (1685–1784)

Graz 1971. Unveränderter Nachdruck der Ausgabe Leipzig 1848. 1 Band, 504 Seiten, 8°, Ganzleinen. ISBN 3-201-00298-4

Geschichte der Freimaurerei in Frankreich aus ächten Urkunden dargestellt (1725–1830)

Graz 1971. Unveränderter Nachdruck der Ausgabe Darmstadt 1852–53. 1020 Seiten, 8°, Ganzleinen. ISBN 3-201-00297-6

Annalen der Loge zur Einigkeit der englischen Provincial-Loge, so wie der Provincial- und Directorial-Loge des Eclectischen Bundes zu Frankfurt am Main 1742–1811

Graz 1971. Unveränderter Nachdruck der Ausgabe Frankfurt/M. 1842. 1 Band, 392 Seiten, 1 Tafel, 8°, Ganzleinen. ISBN 3-201-00295-X

ALS NEUERSCHEINUNG LIEFERBAR:

KARL R. H. FRICK

DIE ERLEUCHTETEN

Gnostisch-theosophische und alchemistisch-rosenkreuzerische Geheimgesellschaften bis zum Ende des 18. Jahrhunderts. Ein Beitrag zur Geistesgeschichte der Neuzeit.

Graz 1973. Neuerscheinung. 1 Band, 648 Seiten Text, zahlreiche Illustrationen und Tabellen, Format: 18 x 27 cm, Ganzleinen mit Schutzumschlag.
Format: 18 x 27 cm, Ganzleinen mit Schutzumschlag. ISBN 3-201-00834-6

FOLGEBÄNDE IN VORBEREITUNG!

AKADEMISCHE DRUCK u. VERLAGSANSTALT
GRAZ / AUSTRIA